はじめに

「子どもが1歳7か月になりますが、視線が合わず、呼んでも振り向きません」

「11か月になる男児ですが、目が合わず、喃語（赤ちゃんの発する意味のない発声）が出ません。テレビが一日中ついています。泣くとスマホを見せます」

「息子（4歳5か月）、娘（2歳0か月）がおり、生まれたときからテレビ漬けで育てました。息子は広汎性発達障害と診断され、娘はまだ言葉が出ません」

「2歳半の息子が、言葉が出ません。バナナのナ、おにぎりのぎ、など1音はいくつか出ます。テレビ、DVDを一日何時間も見せていました」


これらは動画投稿サイト「YouTube」上で私の動画を見た親御さんから送られてきた相談メールの一部です。

動画の再生数は12万回を超え、相談のメールは年間200通以上にもなります。それだけ多くの親御さんが、「言葉が出ない」「目が合わない」わが子を心配し、どうしたらいいかと悩みを抱えていることになります。

しかし、その解決策ははっきりしています。こうした悩みの原因はテレビやスマートフォン（以下、スマホ）など電子メディアがつけっ放し、たれ流しの子育て環境にあり、コミュニケーション能力が育たない、あるいは発達障害とされてしまっているのです。そのため、これらのメディアの視聴をすぐにやめ、保護者（一般的にはお母さん）が子どもと触れ合う生活を取り戻すことで状態はよくなっていきます。

私がこのことに気が付いたのは小児科医として川崎医科大学に勤務していた今から45年ほど前のことでした。同大学病院で出産した生後4か月のお子さんのお母さんが、

「うちの子、テレビの前でじっとしたまま、目玉（黒目）を全く動かしません。目が見えないのではないでしょうか？」

と心配して母子で診察室にやってきました。

生まれつき目が見えない場合、健常者とは異なるものの、黒目は少し動きます。それが全く動かないのだとすれば、テレビの視聴が原因かもしれない……。私はそう考

えました。そこで、

「まずはテレビを消してみましょう。そして抱っこしたり、あやしたり、お子さんとたくさん遊んでください」

と提案したのです。すると1週間後、そのお母さんは、

「目がよく動くようになりました！」

と喜んで飛んできたのです。


テレビの情報は基本的に一方通行で、当然ながら見ている側の働きかけには一切、反応しません。以来、「テレビの視聴が子どもの発達に悪影響をおよぼしているのではないか……」と真剣に考え、研究をするようになりました。

やがて口コミで私の外来に来るお子さんが増えてきました。

その子たちに共通しているのは生後半年〜1年くらいからテレビ、ビデオのような一方通行の刺激にはまっていることと、「言葉の遅れがある」ということでした。

そして、その子たちの特徴は発達障害の一種である自閉症（現在は自閉症スペクトラム、

以下同）の状態に大変よく似ていました。

外来を訪れるお子さんの中にはすでに、自閉症スペクトラムと診断されているケースもあり、かつテレビを消すことで回復していく例がかなりありました。

そこでこうしたお子さんを自閉症類似の「新しいタイプの言葉遅れ」と名づけ、回復した20人のお子さんを検証し、『新しいタイプの言葉遅れの子どもたち――長時間のテレビ・ビデオ視聴の影響――』という学術論文にまとめました。２００２年には日本小児科学会において発表する機会がありました。

自閉症スペクトラムは生まれながらの脳の機能障害とされており、自閉症スペクトラムから「新しいタイプの言葉遅れ」を除外するということは、一般的にはされていません。つまり、私の考えは専門家の中では少数派です。

しかし、私はこれまで1万人以上のお子さんの相談を受けてきた経験から、新しいタイプの言葉遅れがかなりの割合で存在することを確信しています。

育児は楽ではありません。核家族化が進んでいる日本ではお母さんが一人で子育てを担う「ワンオペ育児」が問題になっています。この状況下でテレビやスマホの手を借りたいというお母さんの気持ちはよくわかります。

それでもあえて言いたいのは、子どものコミュニケーション能力を育むことのできる時期は限られているということ、そして子どもの一生のうちの貴重なその時期を大事に考えてほしいということです。もちろん、夫であるお父さんの手も借りながら、お子さんとたくさんかかわることが重要です。

赤ちゃんに話しかける、一緒に遊ぶ、外に出て走る、自然に触れる、そして、「お花がきれいだね」などと感動を分かち合う。こうした五感や共感力を育む育児が豊かな感情を育て、たくさんの言葉を生み出します。

今、「うちの子はなかなか言葉が出ない」という親御さんも、時間はかかるかもしれませんが、五感を育む育児に取り組むと、きっとお子さんは変わります。それを信じて、この本を読み進めていただければ幸いです。

2020年5月

川崎医科大学名誉教授・kids21 子育て研究所所長　片岡直樹

第3章 子どもは話し言葉をお母さんの声から学ぶ

第4章

自閉症・自閉症スペクトラムと「新しいタイプの言葉遅れ」の関係

第5章

言葉遅れが気になったら！ 家庭で今すぐにできる対策

第6章

これから赤ちゃんを育てるお母さんたちに知ってほしいこと

第7章

赤ちゃん、子どもをすくすく育てるための20か条のアドバイス

第1章

テレビ、ビデオ、スマホによる言葉遅れが劇的に改善した3つの事例

私は川崎医科大学を退職後、岡山市内で「kids 21 子育て研究所」を開設し、「新しいタイプの言葉遅れ」のお子さんを持つ親御さんの相談、指導に取り組んでいます。相談は全国から寄せられます。最初はメールや電話、お手紙をいただくことがほとんどです。その後、お子さんの様子をビデオで送ってもらう、あるいは、私が相談者の元に出向いて観察をしますが、発達に問題があるかどうかは長年の臨床経験により、時間をかけずとも瞬時にわかります。

これまで相談を受けた件数は全国各地で1万人を超えました。また、この15年間で相談者1000名分のビデオ、動画が集まっています。

相談を開始した後はお子さんの様子をおさめたビデオや動画データを定期的に送ってもらい、それを見て、こちらから主に電話で指導を行うということを一定期間続けます（会いに行く場合や来ていただくこともあります）。

新しいタイプの言葉遅れには、「単語は発するけれど、それ以上の言葉が出ない」という軽いものから、「2歳になっても言葉が出ない。コミュニケーションも取ろうとしない」という重いケースまでさまざまです。なぜテレビやスマホで言葉遅れが起こるのか、自閉症スペクトラムとは何がどう違うのか、といった理論は後述するとして、この章ではまずは実際に回復したお子さんの3つのケースを紹介することで回復のプロセスを示し、読者のみなさんの希望になればと思います。

なお、これらのケースについてはプライバシーに配慮し、ご本人、ご家族が特定されないよう、内容を一部変えていますことをご理解ください。

CASE1

2歳6か月女児。テレビをやめて言葉が出た

私が大学病院に在籍していたときに診たケースで、患者さんとしては最初の事例でした。日本小児科学会で発表し、論文『新しいタイプの言葉遅れの子どもたち——長時間のテレビ・ビデオ視聴の影響——』として学会誌に掲載されたものです。それだけに印象深く、20年以上たった今も、忘れることがありません。

そのお子さんは岡山県在住のA子ちゃん、初診は2歳6か月でした。

「この年齢になっても言葉らしい言葉を話しません」

と心配したお母さんが連れてきたのです。どうやら、私が以前発表した論文をどこかで読む機会があったようでした。

私はお母さんと一緒にプレイルームでA子ちゃんを自由に遊ばせ、その様子をじっくり観察しました。A子ちゃんには気になるところが複数ありました。まず、お母さんや私が名前を呼んでも振り向くことがありません。

誰かと目を合わすということもなく、いくら話しかけてもニコリともしません。その顔はキョトンとした様子で表情がないのです。

また、何かを指差すということもしませんでした。

一方、診察台のベッドに素早く上ったり、ウロウロしたりする行動が目立ちます。

そして数字が好きで絵と数字が描いてある積み木をバラバラにして、それを箱の中に順番に並べ、また、バラバラにしては並べるという遊びを繰り返しています。

本にも興味を持っていますが、内容を見るのではなく、パラパラめくったり、本箱にきれいに並べてじっと見つめたりするのが好きなようでした。

そのときA子ちゃんのお母さんの年齢は42歳、お父さんは45歳。20歳の長男と19歳の長女がいます。つまり、A子ちゃんはずいぶんと間が空いて、思いがけずできたお子さんでした。

ご両親は自宅兼会社で自営業を営んでおり、忙しくしていました。このため、A子ちゃんは生後半年から自宅の2階で一人、テレビに子守をされて過ごしていました。

A子ちゃんが育てにくい、手のかかる子だったらこのようなことはおそらくなかったでしょう。しかし、お母さんにうかがうと、

「生まれたときからおとなしい子でした。ミルクを与え、おむつを替えてさえいれば済む、滅多に手のかからない子でした」

とのことです。

実はこれが要注意なのです。

おとなしい子は自己表現が少ない、欲求を表に出すことも少ないということです。それだけにお母さんがより積極的に子どもとかかわる必要があります。おとなしいからと手を出さないと、コミュニケーション能力を育む場が知らず知らずのうちに失われてしまいます。

また「ちょっとしたことで泣いてしまう」「抱いていないとぐずる」といった敏感な子も同じように、より深い愛情を注いであげる必要があります。

テレビやビデオの画面から子どもに届くのは、光と音による一方的な刺激です。そこには人間的な触れ合い、感情の行き交いは全くありません。子どもが画面に何かを訴えかけても、何の反応もしないでただただ、音と光の刺激が流れるだけです。

私はA子ちゃんのお母さんにテレビを消し、一緒に遊ぶように指導しました。それから3か月後、A子ちゃんは言葉を少し理解するようになりました。

「ごちそうさま」

と声をかけると、手を合わせて何やら「ゴニョゴニョ」と声を出すようになり、「バイバイ」や「いないいないばあ」のしぐさを真似るようになったのです。またゴミを見せて、

「これはばっちいね。捨ててきて」

と言うと、ゴミ箱へ捨てに行くようになりました。

これは「聞いて理解し、行動する」ことができるようになったことを意味します。ただ、自ら言葉らしい言葉を発することはまだ見られませんでした。しかし、回復の傾向がうかがえるので、

「このまま親子での遊びをできるだけ続けてください」

とアドバイスしました。

それからさらに1年後。3歳10か月になっていたA子ちゃんは保育園へ通い始めま

した。お母さんから「喜んで登園している」と聞き、私は保育園の許可を得て、A子ちゃんの様子を定期的に見に行くことにしました。

A子ちゃんは予想通り、とても成長していました。お昼を一緒に食べたり、遠足に付き添ったり、今でもいい思い出として心に残っています。

保育士さんに導かれ、友達ともよく遊べるようになっていました。「おいで」「ねんね」「しーしー」「いたい」「ばい（ばいばい）」などいくつかの言葉を最初はオウム返しで話していましたが、次第に言葉はどんどん増え、年相応のコミュニケーションが取れるようになっていきました。

そして保育園入園から1年後、5歳になろうとする頃には友達と「これ、かして」「アンパンマンごっこしよう」など、会話が交わせるようになりました。

小学5年生になった頃には全く問題のない子に成長しました。健康で、学校の勉強もよくできる様子です。

CASE2

自閉症と診断された2歳児。3か月で大進歩

東北の地方都市に住むK美ちゃんは会社勤めのお父さんと専業主婦のお母さんの間に長女として生まれました。夜泣きはあるものの、元気な赤ちゃんだったそうです。お父さんは転勤が多く、K美ちゃんが生まれたときには引っ越してきてまだ日が浅い状態で、お母さんは近所に知り合いが全くいませんでした。

そのため、家の中では母子二人きりの生活で、生後2か月くらいからはよくテレビを見せていたといいます。やがて、K美ちゃんがテレビのCMが好きなことに気づいたお母さんは、録画して繰り返し見せるようになりました。

K美ちゃんはハイハイをするようになってからはテレビにすがりつくようにして、朝から晩まで視聴するようになりました。

8か月頃から歩き始めるようになり、順調に成長していると思っていた時期のこと。お母さんは実家にK美ちゃんを連れて帰った際、あることに気づきました。祖父母が写真を撮ろうと、

「K美ちゃんこっち見て！」

と呼びかけても、なかなかそちらを見ようとしないのです。外で手をつなごうとしても振り払って歩いて行ってしまうなどの行動が続きました。

1歳1か月頃には祖母からも、気になる指摘をされました。

K美ちゃんには同じ年齢の従弟がお

り、実家の近くに住んでいますが、その従弟とどうも違う点があるというのです。

「○君は声をかけると振り返って笑うけれど、K美ちゃんは振り返らないね」

そう告げられました。

とはいえ、それまでの乳幼児健診では特に問題はありませんでした。しかし1歳6か月健診の際、とうとう療育相談をすすめられました。

発達の検査で、「言葉を3つくらい話しますか？」「自分で、コップで飲めますか？」「積み木をしますか？」のいずれの項目も答えが「いいえ」だったからです。その時点でのK美ちゃんは声は出ますが、言葉が出ない状態でした。積み木はかじるばかりで、大人がやって見せても積み上げようとしません。

ただ、お母さんは、

「個人差もあるだろうし、急に言葉が出るかもしれない」

と考え、不安ながらも見守ることにしました。しかしその後、笑ったり、独り言のようなことを言ったりと声はよく出るようになってきましたが、2歳になっても言葉は発しないままでした。

2歳児健診では「言葉の発達が遅すぎる」と指摘を受け、地元の大学病院を紹介されました。そこで、

「年齢が低いのではっきりは言えませんが、自閉症であり、知能は1歳前です」

と診断され、大きなショックを受けました。医師からは、

「発達を促す効果が期待できるので、『福祉センター』に行ってみてはどうですか」

と紹介され、通い始めました。

お母さんが私の著書『テレビ・ビデオが子どもの心を破壊している！』を読まれたのはその直後の、2歳1か月のときです。書かれたことに思い当たるところがあり、すぐにテレビ、ビデオを見せないことにしたといいます。

本を読んでほどなく、K美ちゃんのお母さんは私に手紙をくださいました。効果は比較的短期間で表われたようです。手紙の一部を抜粋して紹介しましょう。

「本を読んでからはテレビはもちろん、ビデオもラジオも消しています。娘はまだテ

レビを見たいときがある様子で、私の手をとってテレビのところに行きますが、コンセントを抜いていますので、いくらスイッチを押してもつきません。最近はますます抱っこをせがむことが多くなりました。また私が台所に立つと泣いて邪魔をします。

昼間はなるべく家から外に出るようにしています。散歩やショッピングセンター、ときにはプールも行きます。手をつなぐようになってくれたので、外出もずいぶん楽になりました。

夜は布団を敷いてから『いないいないばあ』をして、遊ぶと喜んで自分でもやります。ときどき積み木もするようになりました。4〜5個積んでは壊してしまいますが、以前はやらなかったので、うれしい変化です」

私はお母さんに電話をかけ、

「今のかかわり方で大丈夫ですよ」

と伝えました。

そして約2か月後、2歳3か月のときに、K美ちゃんはお母さん、お父さんに付き添われて当時私が勤務していた川崎医科大学附属病院小児科にやってきました。K美ちゃんはずっとお母さんに抱っこされていました。抱っこは母子のコミュニケーションを育てるのにとても大事なことで、大きな進歩です。

ただ、様子を見ていると、お母さんは先回りしてK美ちゃんに声をかけすぎる傾向が見られました。お母さんが声をかけすぎると、子どもは声を発する必要を感じなくなってしまいます。

コミュニケーション能力を育むためには、一方通行の声かけではだめなのです。お母さんが声をかけすぎないようにしながら、心は子どもに向け続け、子どもから自発的にしぐさや声が出るのを待つ。この姿勢がとても大切です。お母さんにもそうお話ししました。

その後、K美ちゃんはさらに成長していきました。

初診から3週間後には指差しが増えたと連絡がありました。雑誌に赤ちゃんの写真を見つけたときには自分の服をめくってお腹を見せます。

お母さんが「ぽんぽんないなーい」と言うと服をおろします。

散歩でお母さんと手をつないで歩きながら「1、2、3、ぴょーん」と一緒にジャンプをすると喜びます。

自閉症と診断されてから3か月もたたないうちに、指差し、ごっこ遊び、真似などができるようになったのです。

これ以降の数か月間、私はほぼ電話でお母さんとやりとりを重ねました。

その経過の中で、言葉が徐々に出てくるようになったという手紙での報告がありました。3歳2か月になろうとする頃の手紙です。

「先生の本に出会って、1年以上が過ぎました。K美は3歳直前におむつがとれました。『ウンチ出た、出た』などと言ってくれるのが本当にうれしくてなりません」

具体的な会話についても書かれているので、一例を紹介します。

K美ちゃん「ここ……、ここ……、なあに？」
お母さん「小さくて見えないよ」
そう言われたK美ちゃんは急いで眼鏡を持ってきてお母さんにかける。
お母さん「ありがとう。よく見えるよ。ここはね……」
K美ちゃんは別のページをめくって「いっしょ！　いっしょ！」と2つの同じ写真を指差します。
お母さん「いっしょね。写真のおててはどうしている？」
K美ちゃん「こう」と言いながら、手真似をしている。

このほか、「K美ちゃん、いくつ？」と聞かれて、「みっちゅ」と指を3本立てて言う、ぬいぐるみを指差して、「大きいクマ。こっち小さいクマ」と言うなど、言葉が多くなったと書かれています。

私はすぐに電話をして、

「言葉がとても多くなった。心を育てているね。よかったね」

と伝えました。

テレビやビデオを消してから約1年3か月が経過した頃、私の診察室に久しぶりにK美ちゃんがご両親とともにやってきました。このときK美ちゃんは3歳5か月でしたが、問診ではよく話し、コミュニケーションも豊かでした。「ものすごくよくなった」という印象です。

発達の専門的な診断法である乳幼児分析的発達検査表（遠城寺式）では、〈移動運動…3歳3か月、手の運動…3歳5か月、基本的習慣…3歳5か月、対人関係…2歳6か月、発語…2歳9か月、言語理解…2歳9か月〉

という結果が得られました。ほぼ年齢相応の発達段階に近づいている数値です。

それから4か月後、私は学会でK美ちゃんが住む地方都市に行った際に駅の近くでK美ちゃんとご家族にお会いしました。その後の様子を確認したかったのです。駅前の広場を走り回ったり、鳩を追いかけたり、何か見つけては私たちのところに報告にやってくる様子は元気な3歳の子どもそのもので、違和感が全くありません。見守るお母さんもとてもうれしそうです。
当時の私のメモには、〝涙が止まらないほどの感激だったが、そのそぶりは見せず、喜びは胸の内にとっておいた〟と書いてあります。

その後、小学校5年生になったK美ちゃんに再び会う機会がありましたが、全く問題はなく、健康そのものでした。

さらに、本書をまとめている2019年5月、私はK美ちゃんの現在を知りたくて、電話をかけました。本をまとめるにあたり、読者の方にも、自閉症類似の「新しいタイプの言葉遅れ」であるお子さんの成長後を追跡し、伝える義務があると思ったのです。K美ちゃんは19歳。もうすぐ成人を迎える頃でした。

K美ちゃんは外出中でしたが、お母さんから近況を聞くことができました。お話によると高校を卒業後、地元の大学に入学。しかし、やりたいことが見つかり、通学している大学ではそれができないことがわかりました。

そこで思い切って退学。現在は入学を希望する専門学校に行くための学費を稼ぐ目的で、毎日、スポーツクラブの受付としてアルバイトをしているということでした。

「残業も多く大変らしいです」

とお母さん。子どもが何歳になっても心配なのはどの親も同じです。しかし、私はK美ちゃんがここまで健やかに育ち、自分の人生を切り拓いていく強さも備わった女性に育っていたことに感動しました。

CASE3

自閉症スペクトラム診断の男児が有名私立小に合格

3つ目のケースは3歳9か月で「自閉症スペクトラム」と診断され、療育を開始、5歳3か月でテレビ視聴をやめて8歳の現在、何の問題もない子に育っているY君のケースです。

お母さんがY君の言葉が遅れていることに気づいたのは2歳になる前に入った一時

保育の園でのことでした。園長先生より、言葉や発達の遅れを指摘されました。

「話をしないのですが、耳が聞こえないのではないか？　発達が明らかに遅いです」

と言われました。

Y君のお母さんはY君をご主人の赴任先である海外で出産されました。その後、Y君が1歳3か月で帰国しています。

お母さんは一人での孤独な育児を紛らわすためにテレビを一日中、つけていたといいます。また、Y君の教育のためにと、英語のビデオもよく見せていました。

まもなく二人目を妊娠、つわりなどで気分がすぐれないこともあり、トイレに駆け込むこともしばしばでした。そんなとき、タブレット型パソコンを渡すとY君はおとなしくしてくれました。こうした電子メディアも育児には手放せないものでした。

総じて「静かでいい子だった」Y君ですが、2歳の誕生日を前に風邪が長引き、2か月ほど寝込んだことがありました。その回復後から思い通りにならないと泣く、手をつながない、話を聞かない、手が出る、夜はなかなか眠らない、夜泣きなどの行動が続くようになりました。思い通りにならないとひどいかんしゃくを起こし、お母さんをかなり困らせたようです。

しかし、公園などで出会うお母さん仲間に相談をしても、「男の子はみんなそんなもので、どこも大変だよ」などと言われることから、「これくらいは普通なのかな」と思っていたそうです。

しかし、園長先生から発達の問題を指摘されてから、にわかにY君の行動が気になり始めました。

振り返ると1歳の頃からY君は呼びかけにも振り向かず、笑顔も少ないようでした。遊びの際も他の子どもたちが興味を持っているおもちゃのところにも行かず、一人で遊んでいることがよくあったのです。

ちなみに、送られてきた母子手帳のコピーでは3歳頃の様子として、「手を使わず一人で階段をのぼれますか」「衣服の着脱を一人でできますか」「自分の名前が言えますか」「ままごと、怪獣ごっこなどごっこ遊びができますか」「遊び友達がいますか」の質問への答えが「いいえ」になっています。

つまりY君には、感情がコントロールできないことだけでなく、言葉が少ない、他者とのコミュニケーションができないなども見受けられたのです。

そしてまもなく3歳9か月になろうというとき、小児科医から専門医を紹介され、「自閉症スペクトラム」と診断されて療育センターに通うことをすすめられました。

この年の4月からは幼稚園にも入園したので、幼稚園の通学の合間に療育センターに通う生活が始まりました。

療育センターに行く前やセンターでは、着替える、帽子をかぶる、リュックを背負う、手をつなぐ、ダンスをするなどの行動のすべてを拒否し、お母さんをたたく。そんなことが2、3回続きました。しかし、次第に笑顔が増え、プログラムにも参加ができるようになってきたといいます。

幼稚園でも言葉こそ少ないですが、友達にも少しずつ興味を持つようになり、2学期の最後には7〜8人の友達と遊べるようになっていました。

そして1年半後、療育センター通いは終了となりました。ずいぶん変化は見られましたが、お母さんとしてはまだまだ気になるところがあり、ほかにできることがあれば、何でもやろうという気持ちでした。

そんなときにある出会いがありました。

5歳3か月のとき、療育センターで友達になったH君のお母さんから私の話を聞いたのです。そして私の本を購入し、読んでくれたそうです。それをきっかけにテレビ、タブレット型パソコンの視聴をやめさせたといいます。

実はH君というのは、私がかつて相談を受け、テレビをやめてから非常にいい状態になったお子さんでした。

Y君のお母さんは、それからすぐにテレビなしの生活をスタートさせました。その様子が3か月後のお手紙に相談とともに詳細に書かれ、送られてきました。一部を抜粋して紹介します。Y君は当時、5歳3か月です。

「H君のお母さんに片岡先生のお話をお聞きし、次の日、〇月〇日からテレビなしの生活を始めました。意外にも、『テレビ見たい！』と泣くこともなく、スタートしました。その分、一緒にいる時間が増えました。少しずつ変化をつけようと家事のお手伝いや生け花、家庭菜園、掃除など私の余裕のあるときには一緒にしました。(中略)

テレビなし生活を約3か月、何となく落ち着いてきました。お話はまだまだ上手ではないですが、一生懸命相手に伝えようとする、幼稚園での出来事を話してくれるようになりました。突然のスケジュール変更も大丈夫です。電車も指で数えて示しながら〇番目で降りる、と言えばちゃんと座っています。全体的によい方向に向かっていると思います」

とありました。

ただ、お母さんにはまだまだ気になっているところがあるようで、

「今まで見ていたテレビのセリフをずっと言っていることや、食事中に周りが気になり、立ってしまったり、遊び食べもします。声も大きく、幼稚園でも課題です。成長の過程だと思いますが、お友達とはよく遊ぶようになったものの距離が近すぎたりなど、まだ課題はいろいろとあります」

とも記されていました。

手紙は「息子には私のできることはすべてしてあげたいと思っているので、よろしくお願いいたします」と結ばれていました。

私はすぐにお母さんに電話し、「テレビを切ったのは大変よいことです。話し言葉が育っていますので、楽しい幼稚園生活を続けてください」とアドバイスをしました。

そして約1か月後、Y君の住む地方都市の駅で会うことができました。うれしいことに、Y君に私のことを紹介してくれたかつての相談者のお母さんとお子さんのH君も来てくれました。H君は相談当時のことを忘れてしまうほど元気で健全に発達しており、とてもいい子に育っていました。

そして、Y君のお宅を訪問しました。Y君は電話相談時の話よりもさらに落ち着き、挨拶のできる聡明な子になっていました。

私は「この調子で今のかかわり方を続けていきましょう」とお話しし、互いに笑顔で別れました。

そして、約1年半がたち、桜の咲く4月。Y君が受験した私立小学校に合格し、入学したといううれしい連絡が入りました。私は何としても会いたいと、2週間後に学校帰りのY君に会いに行きました。制服を着て大きなランドセルを背負ったY君は、会話もスムーズで、たくましく明るい子に育っていました。

この本を書いている2019年は2年生。さらに成長しているでしょう。

早期に気づき、生活習慣を変えることが回復のカギ

いかがでしょうか？　これらは回復した多くのケースの中のごく一部です。電子メ

ディアの長時間視聴の怖さとともに、子どもの回復力のすばらしさを感じた読者の方も多いのではないでしょうか。

ここで紹介したケースはテレビの長時間視聴が中心ですが、最近はビデオやスマホ、タブレット型パソコンの視聴によるケースが増えてきています。

また、もう一つ大事な点がありました。ケース2のK美ちゃんは自閉症、ケース3のY君は自閉症スペクトラムと診断されていました。しかし、私が見る限りこの二人は自閉症ではなく、自閉症類似の「新しいタイプの言葉遅れ」です。

養育の環境を主とする「新しいタイプの言葉遅れ」は、その状態が「言葉遅れ」という点で自閉症と酷似しているため、しばしば混同されているのが現実です。専門家でも診断は難しいものです。

しかし自閉症について主流となっている考え方は「先天的な脳の障害」で、新しいタイプは人間との双方向のコミュニケーションが圧倒的に不足したことによる「後天的な言葉遅れ」です。両者の原因は全く異なります。そして、後天的な言葉遅れならテレビ、スマホなどによる子守をやめて、親子で親密なコミュニケーションをとる生活をすることで、多くの場合は改善、回復します。

ただし、できるだけ早く気付くことが大切で、3歳を過ぎると難しいケースが増えてくることも事実です（Y君は比較的軽度だったこともあり回復しましたが、これは珍しいケースです）。読者のみなさんにはこの点をふまえ、早期発見、早期対策に取り組んでほしいと思います。

次章からはなぜ3歳までが発達に大事なのか、具体的に何歳頃にどのような育て方をすればいいのか、という点にも詳しく触れていきます。お子さんの状態、年齢に合わせて読み進めてみてください。

第2章

なぜテレビ、スマホで言葉遅れが起こるのか

テレビ、スマホによる言葉遅れには
どのような特徴があるのか

第1章を読み、

「自分の子どもに当てはまる部分がある」

「うちの子も新しいタイプの言葉遅れではないか？」

などと、はっとした親御さんもいることでしょう。また、すでに自閉症傾向と診断されているお子さんを持つ方の中には、

「そういえばうちの子は小さい頃からテレビ漬けだった……。やめたら回復するのだろうか」

と期待を抱いた人もいると思います。

私が相談を受けた多くのケースから、新しいタイプの言葉遅れのケースなら、早く

家庭におけるテレビ・ビデオとの関係

- □ 乳児期からテレビやビデオに子守をさせる時間が長い。
- □ 朝から晩まで、ほとんどテレビがつきっぱなしの家庭である。
- □ 子どもはテレビのない生活空間をほとんど体験していない。
- □ 子どもは早期教育のビデオが好きだ。
- □ 親もテレビが好きで、親のほうこそテレビがついていないと落ち着かない。
- □ テレビを消すと子どもが不機嫌になる。

気づくほど回復も早く、前章で紹介してきたように普通のお子さんに成長する可能性が高いことは明らかです。

そこでまずはチェックリストで思い当たることがないかどうか、確認してみましょう。上の〈家庭におけるテレビ・ビデオとの関係〉をご覧ください。

もし、6項目のうち一つでも該当するものがあり、加えてお子さんに「言葉遅れ」や「表情の乏しさ」「無反応」などの傾向が感じられるようなら、今すぐテレビ、スマホを見せることをやめましょう。

次に次ページの〈新しいタイプの言葉遅れを発見するチェックリスト〉で確認してみてください。もし、該当する項目が多いようなら「新しいタイプの言葉遅れ」の可能性が高いので、まずはテレビ、ビデオ、スマホからお子さんを離す必要があります。そして親子で過ごす時間を作り、コミュニケーション能力を育てることでお子さんの発達を促していきましょう。

自閉症との識別は難しい

「自閉症や自閉症傾向と新しいタイプの言葉遅れは、何がどう違うのか？」

これも多くの読者のみなさんの疑問であると思います。

実はこの2つは非常に似ており、識別するのが難しいのです。

自閉症は発達障害の一つで、その特徴は、

新しいタイプの言葉遅れを発見するチェックリスト

- □ 2歳になるのに、全く言葉を発しない。
- □ 意思や要求、あるいは感情が含まれた言葉が少なく、オウム返しが目立つ。
- □ 自発的に言葉を発しはするが、単語しか口にしない。
- □「○○はどれかな?」などと問いかけても指を差さない。
- □ 意思や要求を言葉で言わず、行動や態度でしか示さない。
- □ 身近な人はもとより、母親にすら愛着を示さない。
- □ 表情がとぼしい。
- □ 家族はもとより、母親ともほとんど目を合わせない。
- □ いつも一人の世界にひたりがちだ。
- □ ちょっとでも思いどおりにならないことがあると、泣き叫ぶなどのパニックになりやすい。
- □ 友達と遊ばない、遊べない。
- □ 見立て遊びやごっこ遊びをしない。
- □ おもちゃなどの扱いが単純で、パターンにはまりすぎている。
- □ テレビを消すと落ち着きを失い、パニックになる。
- □ 生まれつきおとなしくて手のかからない子である。または敏感で世話が大変な子である。
- □ 1~2歳近くまでは言葉が出ていたが、いつしか言葉が出なくなった。
- □ 全体として年齢相応の言葉や表現のレベルからは大幅に遅れている。

・他者とのコミュニケーションが取れない
・言葉の発達のゆがみ
・強迫的な同一性保持の傾向（物事が行われるとき、物事を行うときの順序や、物の配置にこだわるなど）
・ある物事への極端な興味・関心と巧みさ
・潜在的な知能（記憶力、計算能力で並外れた能力を発揮するなど）

の5つがあります。

また、こうした特徴には当てはまらないものの、

①社会性に偏りがある（他者への無関心、他者との交流が困難）
②社会的コミュニケーションに偏りがある（人と話すときに一方的であったり、言葉を字義通りに受け取ってしまうなど）
③社会的イマジネーションに偏りがある（目に見えないことや次に起こることを想像するのが難しい。このために変化を嫌う）

という、3つの偏りを持つ場合、「自閉症の連続体」として自閉症スペクトラムと診断されます。なお、自閉症および自閉症スペクトラムはカナータイプとアスペルガータイプに分類され、前者は知的障害がともないますが、後者は知的な遅れがない「高機能自閉症」とも呼ばれています。

アスペルガータイプには高学歴の方が多いのですが、反面、コミュニケーション能力が乏しいことがネックとなり、社会に出てから挫折する人も少なくありません（第3章を参照）。

自閉症や自閉症スペクトラムの原因はいまだ明らかではありませんが、多くの遺伝的な要因が複雑に関与して起こる、生まれつきの脳の機能障害が原因と考えられています。また、妊娠時の胎内環境や出産前後のトラブルなども関係している可能性があるといわれており、「親の育て方が原因ではない」とされています。

一方、新しいタイプの言葉遅れの場合、その原因はテレビやスマホの長時間の視聴

自閉症スペクトラム障害の概要

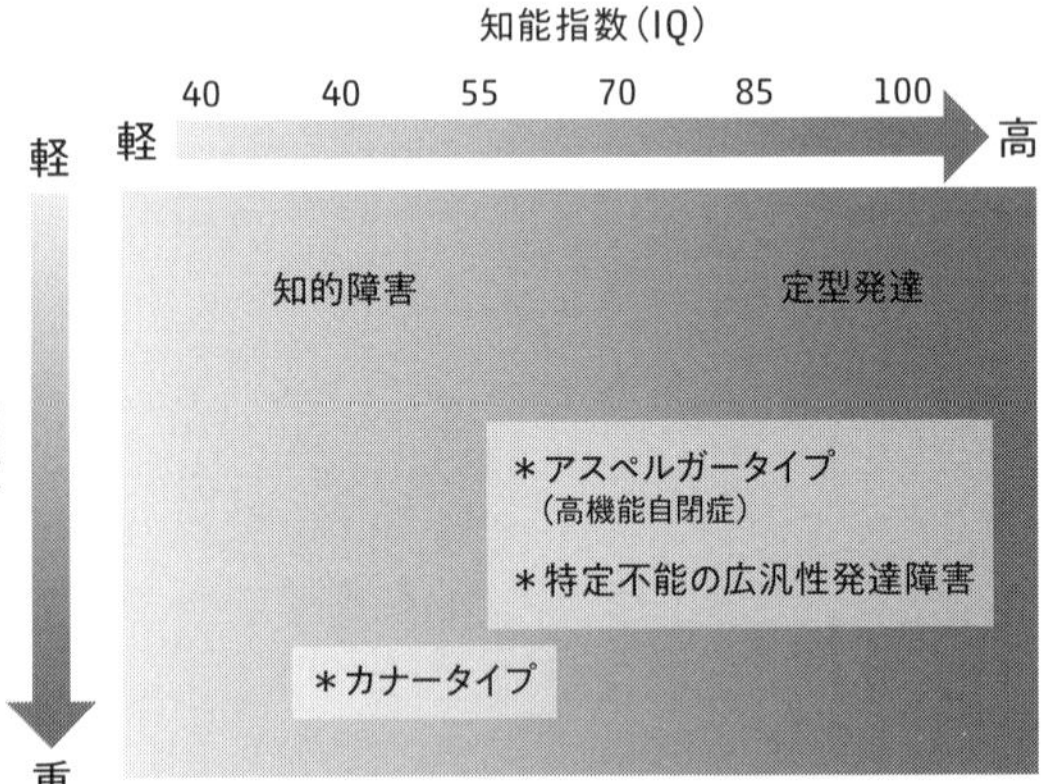

注: 診断基準の改訂により、＊のついた名称は今後「自閉症スペクトラム障害」に統一

にあり、そこから生じる親（主に母親）との愛着が正常に形成できない環境での生育でコミュニケーション能力が育たないことから起こっています。

このように、その背景や原因は全く違うにもかかわらず、これまでお話ししてきたように両者の特徴は極めて似ています。両者を識別するのはとても困難なのです。

現在、子どもの1歳半健診では、自閉症や自閉症スペクトラムを含む発達障害を診断する際、日常生活内での行動確認とともに「いない、いない、ばあを喜ぶか」「興味を持ったものを指差すか」「名前を呼ぶと反応を示すか」「笑いかけると笑顔を返すか」「1秒以上、見つめ合うことができるか」などを確認します。

こうした判断から自閉症スペクトラムが疑われ、「要観察」と診断される子どもは10人に一人と非常に高い割合で見つかっています。しかし、この中には新しいタイプの言葉遅れの子どもがかなりの割合で含まれている可能性があります。なぜなら後述するように、これらには共通する特徴がいくつもあるからです。

だからこそ、疑わしい場合はまずはテレビ、スマホとの関係を断つことが大事なのです。

なぜテレビ、スマホをやめる必要があるのか

なぜ子どもからテレビ、スマホを断つことが必要なのでしょうか。新しいタイプの言葉遅れとの関連について挙げると、大きく5つの理由があります。

①「応答環境」が作れない
②立体的認識が育たない
③聴力の発達が阻害される
④五感が育たない
⑤注意力・集中力の欠如

それぞれについて解説していきましょう。

①「応答環境」が作れない

■ テレビは呼びかけに応えてくれない

応答とは文字通り、呼びかけに応えるという意味であり、コミュニケーションの土台です。応答環境、つまり、コミュニケーションの育つ環境をテレビやスマホでは提供できません。では応答環境とは具体的にどのようなものでしょう。

それは赤ちゃんが誕生直後からかかわる、母親を代表とする保護者との関係において作られます。

最初のコミュニケーションは赤ちゃんが泣いたらお母さんがあやす、という応答から両者の関係が始まります。

生後1～2か月前後になると「お腹がすいた」「おむつが濡れて気持ち悪い」「眠たい」などで赤ちゃんの泣き方が変わり、お母さんも徐々にその違いがわかるようになります。泣いている赤ちゃんの望みを叶えてあげる→赤ちゃんは泣きやむ、という応答の経験を繰り返してきたからです。

赤ちゃんは、泣くとお母さんが適切なケアをしてくれる、という経験が重なると、コミュニケーションへの意欲が高まります。結果、お母さんの言っていることが理解できるようになり、やがて物を指差してお母さんに示す→喃語→言葉を話す、という具合に少しずつ発達していくのです。

発達心理学ではこの時期に形成されるものを「愛着＝アタッチメント（attachment）」と呼びます。基本的信頼は育っていき、相手の心を読み取る能力も育まれます。

子どもの心に親に対する愛着、一般的にはお母さんに対する愛着が培われない限り、コミュニケーションの意欲は生まれず、コミュニケーション能力も育たないのです。

育児アプリでは応答環境が作れない

最近はスマホ用にさまざまな育児アプリがあります。授乳アプリもその一つで、アラームが鳴ったら、おっぱいやミルクをあげるというお母さんも多いようです。けれどどこれもお母さんが赤ちゃんにきちんと応答してあげているとは言い難い状況です。

赤ちゃんが泣く、つまり、お腹がすいたと訴えたら、それに応えて授乳する。こうしたやりとりが大事なのです。同じ理由で、お母さんが赤ちゃんを抱っこしながら、もしくは赤ちゃんのすぐそばでスマホをいじることも危険です。

スマホに熱中するお母さんの心は子どもから遠く離れています。これでは赤ちゃんの欲求に的確に応えてあげることができません。

また、赤ちゃんの望みは泣く原因が解消されることだけでなく、お母さんが抱っこしてくれる、泣いたらすぐにかけつけてくれる、自分を守ってくれる、という安心感を持つことです。お母さんのぬくもり、匂いを感じることも赤ちゃんの心にとってはとても大切です。

ＡＩ（人工知能）によって赤ちゃんや子どもの声に応える子守用のアプリもたくさんあります。

「これなら何か言ったら応えてくれるからいいでしょう？」

という方もいるかもしれませんが、それは間違いです。ＡＩは人間ではなく、そこには姿もなく、温かい血も通っていません。あくまでも機械的な応答で、予期せぬ質問にはとんちんかんな返答をします。

この先どんなにＡＩの精度が改良されても、お母さんの代わりはできないのです。

■音を垂れ流すラジオ、ＣＤ、電子おもちゃもテレビと同じ

応答環境を作れないのはテレビ、スマホだけではありません。映像がなくてもラジオ、ＣＤなどを長時間聞いていれば同じことが起こります。

ＣＤに代表されるのは音楽の視聴だと思います。よく、「モーツァルトなど、いい音楽を小さいうちから聞かせれば情操の豊かな子に育つ」といわれます。また、音楽のある環境で育てることで子どもの音楽的才能が伸びるともいわれます。

しかし、私の臨床経験からはそのようなことは肯定できません。

確かに音楽家の中には、「常に家の中に音楽が流れていました」とか「子守歌代わりにジャズを聞いて育ちました」などという方もいますが、そういう方たちはおそらくＣＤをずっと流している部屋で一人寝かされていたわけではなく、いつも家の中で誰かが楽器を奏でていたり、親御さんが子どもに呼びかけ、一緒に歌を口ずさんでい

たりと親との健全な応答環境もセットであったと考えられます。

同様に音の出る電子おもちゃも要注意です。ガラガラのような昔ながらのおもちゃなら、子どもや大人が直接手を出して動かしたり、押したりしないと音は出ません。また、ゼンマイ仕掛けで音が出るおもちゃはいくぶん持続時間は長いものの、放っておけば止まってしまいます。

しかし、近年のおもちゃは電池式のものが圧倒的に多く、いったん作動するとスイッチを切らない限り止まりません。しかも、昔のおもちゃと比べてもかなりの音量で響きます。つけておくと確かに赤ちゃんは機嫌よく、おとなしくしていますが、このような一方的なおもちゃに子守をさせていたら、テレビやスマホの長時間視聴と同じで応答環境が成り立ちません。第5章で詳しくお話ししますが、おもちゃはなるべく電池式ではないものを与え、親御さんも一緒に遊ぶことをおすすめします。

なお、応答環境が作れない状況下で長時間を過ごした赤ちゃんは、自己認識の発育不全が起こりやすくなります。自己認識とは他人の動きを類推したり、他人が自分と違う信念を持っている、ということを理解する大切な能力です。

つまり、テレビ、スマホを代表とする電子メディアでは人としての「魂」ともいえる心の理論が育たないということになります。

こうした危険性を指摘しているのは私だけではありません。

近年は公益社団法人日本小児科医会が「2歳までのテレビ・ビデオ視聴を控えましょう」「授乳中、食事中のテレビ、ビデオの視聴はやめましょう」といった提言を行い、さらにスマホ育児への警鐘も鳴らすなど、ようやく子育てにおけるメディアとのかかわりを指摘するようになりました。そして、母親が子どもに語りかけながらコミュニケーション能力を育んでいくことの重要性が専門家の間でも見直されてきているのです。

②立体的認識が育たない

■テレビやスマホに見入っていると遠近感がつかめなくなる

人間には2つの目があり、その目で距離感を感じ取っています。赤ちゃんはハイハ

イができるようになる生後8か月頃から、移動をすることで徐々に遠近感がつかめるようになります。けれどテレビやスマホの画面を見続けて育った子は移動することがほとんどないため、立体的な認識や空間把握能力が育たない危険があります。

もう一つ、テレビやスマホなど二次元の世界では見たいものに焦点を定める力が育ちません。例えば電車に乗って窓から景色を見ると、遠くの山はずっと見えているのに近くの家や電信柱は瞬時に通過し見えなくなります。

しかし、テレビの画面は違います。

画面の中のものはすべて画面と一緒に動くだけで、距離による変化は見ることができません。さらに平面の画面の中に映る物体を横や斜め、あるいは後ろに回って別の角度から見てみることもできません。カメラが移動して別の角度からその物体が映し出されても、それもまた二次元の世界です。

しかもテレビやスマホの中のものは、それがどんなに遠くの景色でもアップになった物体でも、カメラがピントを結んで写すので焦点距離は一定で、自分で焦点を合わさずに済んでしまいます。

新生児は見たいものに無意識のうちに焦点を合わせる訓練をしていますが、テレビやスマホばかり見せているとその訓練の機会を逃すことになります。

人間が生きているのは三次元の世界です。物や人との距離感を私たちは無意識のうちにつかみながら日々の生活をしています。立体認識ができず、立体感や遠近感がつかめなくなる、また見たいものに焦点を当てることが育っていないということは、日常生活に困難が生じるほどの危険があるということを忘れないでください。

③聴力の発達が阻害される

テレビの音にお母さんの声がかき消される

大きな音をたてたときなどに赤ちゃんは両手を広げて抱きつくような反射動作をします。これをモロー反射といいます。モロー反射は誕生直後から1か月の時期に現れることから、この時期に、赤ちゃんはすでに音が聞こえていると考えられています。また、2か月になるとお母さんの声がするほうに向かおうとします。この段階で立体的に音を感知しており、音声の方向がわかっているといえます。やがてお母さんやお父さんのさまざまな声がいろいろな方向から聞こえてくると耳をすますようになり、聴力はどんどん発達していきます。

しかし、テレビの音声がずっと流れていると人間の声はかき消されてしまいます。また、テレビの音声は正面から一方的に聞こえてくるので、そちらが聞きたい音の主役となり、後ろからお母さんやお父さんが声をかけても、すべて雑音に聞こえてしまいます。こうしていくうちに聴力の発達が遅れる危険性があるのです。聴力の発達は言葉の発達と密接にかかわっているので、とくに注意すべきです。

また、「テレビの音に慣れてしまう」という現象も見過ごせません。

私が診た「新しいタイプの言葉遅れ」の子どもたちの中には、テレビを見ているわけでもないのに誰かがテレビのスイッチを切るとすぐに飛んできて、またスイッチを入れるという子どもが少なからずいます。

つまり、この子たちにとってはテレビがずっとついている状態が普通であり、それが中断されることは環境に変化が起こったことにほかなりません。だから落ち着かなくなり、通常の環境に戻そうとして、スイッチを入れるのです。テレビが流れているのが当たり前の家庭の方なら、大人でもこの感覚に覚えがあるのではないでしょうか。

よく都会の騒音の中で暮らしている人が静かな山荘などに泊まったりすると落ち着かなくてかえって眠れないということがありますが、そんな状況と似ていると思います。テレビの垂れ流しは音への依存性を作ってしまうのです。

④五感が育たない

■雪を見たことがあるだけでは、その冷たさはわからない

五感とは視覚、聴覚、嗅覚、味覚、触覚です。目、耳、鼻、舌、皮膚の5つの器官を通じて外界の物事を感ずる感覚ともいわれます。

テレビやスマホを長時間視聴して育った子どもは、これら五感が育たない危険性があります。テレビやスマホは目と耳の2つの感覚のみで受け取る世界です。テレビに映し出される人や景色に触れることはできませんし、匂いもありません。

想像してみてください。

生まれてからずっと、窓が一つだけ開いている小さな部屋にいて、そこから見える景色だけを見て過ごしてきたとしたら……。

窓からは世界中のあらゆる出来事やあらゆる物語を見ることができる。でも窓に映る人が触れてくれるわけではなく、自分もそれに触れることはできない。

たくさんの動物を見たことはあるけれど、その感触は知らない。雪を見たことが

あってもそれが冷たいことは知らない。人が人を殺す場面も見たけれど、その意味は理解できない。倒れるだけ、血が流れるだけとしか受け止められない……。

もちろんこれは、テレビに子守をされて過ごす子どもの育つ過程を極端な形にイメージしたものです。

けれどここまでではないにしろ、テレビやスマホで長時間過ごしている赤ちゃんや子どもはこのような世界に足を踏み入れていると言えるでしょう。

こんな状況で乳幼児期を過ごせば五感はなかなか育ちません。さらに現実が二次元の世界と同じように見えてしまう恐れもあり、混乱をきたしてしまいます。

⑤集中力、注意力の欠如

静かに見ているのは集中しているからではない

テレビやスマホの画面をじっと見ているわが子の姿に、「うちの子は落ち着きと集中力がある」と考える親御さんもいるようです。しかし、これは違います。テレビやスマホを見せるとおとなしくなるのは一方的な刺激に、ただ心身をまかせきっているためで、集中力とは真逆の状態です。

これは大人がテレビやスマホを視聴しているときのことを考えてもわかるのではないでしょうか？　クイズ番組など、回答を考えながら能動的に視聴しているものもあるでしょうが、ほとんどの場合は受動的に、心身ともに弛緩した状態で、もっとわかりやすくいえば何も考えずに、ただ、漠然と画面を眺めていることが多いものです。この間、脳はあまり働いていません。

落ち着きと集中力とは、自身の意欲や興味を一定の意志を保ちながら何事かに向け続けられる状態とその力のことです。

例えば自発的な読書は〝読む〟という意志に加え、書かれている文章から想像する力、ストーリーをつなげていく思考力が求められます。頭の中でさまざまな能力を使いながら行う行為であり、それだけに静かな環境や集中力が必要になります。

しかし、テレビやスマホの映像の視聴は一方的な刺激、情報に心身をまかせている状態で、集中力、注意力はむしろ欠如しているのです。

読書で印象的だったシーンはその背景まで詳しく覚えているものですが、テレビやスマホで見たものは、それが何のための映像でどんなストーリーが背景にあったかまでは忘れがちです。

テレビやスマホとはそうした位置づけのものなのです。

■スマホでゲームばかりしているとキレやすく、集中力がなくなる

スマホの視聴で子どもが夢中になるものといえばゲームです。

ゲームをしているとおとなしくしている様子に見えますが、これもまた、「集中力がある」こととは違います。

それどころか、刺激の強いゲームを繰り返していると脳に障害が起き、ゲームに依存する「ゲーム障害」を引き起こす危険があります。ゲーム障害とはギャンブル依存症などと同様の状態で、「ゲームをしたい」という欲求に支配され、長時間のめり込む症状です。2019年、WHO（世界保健機関）は、このゲーム障害を新たな疾病として認めています。

この危険性をずっと以前から提唱しているのは、生理学者の森昭雄氏です。森氏は2002年に、のちにベストセラーとなった『ゲーム脳の恐怖』（NHK出版）を上梓し、大きな反響を呼びました。

森氏は本書の中で、ゲーム脳になると脳の前頭連合野という部分が働かなくなると指摘しています。前頭連合野は特に人間やサルなどの霊長類で発達した高次機能を司る「新しい脳」です。何か嫌なことがあっても衝動に動かされず、理性にしたがって情報を整理、統合する働きをする脳の司令塔です。最近の脳科学では、人間の脳の中で最も高度な機能を担っているのは、この前頭連合野だと明らかになっています。先ほどお伝えした自己認識や人の心を読み取る能力は、豊富な体験を通じてこの部分で育っていきます。

この前頭連合野が萎縮すると逆に集中力の欠如、注意散漫、無気力、記憶力低下などが起こる可能性が指摘されています。すると理性も働きにくくなり、キレやすくなってしまうこともしばしばあります。

森氏は著作の中で「テレビゲームは目からの刺激を直接手を動かす運動野に伝える

ので、前頭連合野を経由しない。繰り返しているとゲームに直結した脳になってしまい、前頭連合野は使われないまま萎縮する」という内容を述べています。

前頭連合野が活発に動くためには脳内物質であるドーパミンの十分な分泌が必要です。快楽物質ともいわれるドーパミンはゲームで興奮した脳に大量に分泌されます。しかし、ゲームを繰り返すうちにその刺激に慣れてしまいます。

やがて脳の活動がゲームに対して適応するようになり、効率よく神経回路が形成され、放出されたドーパミンは前頭連合野ではなく抑制のきかない古い脳に対して快楽信号を送ります。その結果、ますますゲームにはまっていくという悪循環が生まれてしまうのです。

そして司令塔であるべき前頭連合野を動かさなくなっていきます。

近代教育学の古典、『エミール』から学ぶ

以上、テレビやスマホの長時間視聴が危険となる理由についてまとめました。

こうした弊害については、多くの人が実感していながらも、それを実証できるような研究が難しいこともあって、本腰を入れて問題点の検討がされていないのが現状です。背景にはテレビが一般家庭における娯楽として定着していることがあり、テレビに否定的な問題を取り上げにくいという側面もあります。

しかし、子どもを取り巻く環境はテレビに加え、スマホ、タブレットやデスクトップパソコンなど電子メディアから逃れられない状態になっています。

だからこそ、誰に何を言われようと、私はこの問題を世間に伝えていかなければという強い気持ちを持って臨んでいます。そして正しい電子メディアとの付き合い方を一人でも多くの方に伝えたいのです。

この思いを強くさせてくれるバイブルともいえる一冊があります。フランスの哲学者であるジャン・ジャック・ルソーが1762年に刊行した『エミール、または教育について』です。ルソーはこの書の中で、当時のフランスの特権階級の教育のゆがみを批判し、児童の本性を尊重して、自然な成長を促すことが教育の根本であると説きました。そして「子どもは大人のミニチュアではない。大人になるための教育を急いではいけない。自然の中でどっぷりと子ども時代を過ごすことが大切だ」（『エミール』（上・中・下）今野一雄訳・岩波文庫）と述べています。

ルソーは本書の出版直後からキリスト教勢力や政府の激しい弾圧にさらされ、スイスへと逃亡し、放浪生活を送ることになりました。しかし、ルソーの教育論はその後、近代の教育学・教育論に大きな影響を与えることになったといわれています。

多くの子どもたちが子どもらしく育つことができない現代、今こそ、『エミール』の復権が求められているといえるのです。

第3章

子どもは話し言葉をお母さんの声から学ぶ

1歳前後までは問題のなかった子が多い

新しいタイプの言葉遅れの相談にのっていると、生育状況では「1歳前後までは問題がなかった」ということが共通しています。

「普通の赤ちゃんで、あやすと反応もある」「成長も順調だった」という子が、1歳前後になって、「ちょっとおかしいかな？」と気づかされる様子を見せます。

この1歳前後というところに、大きな意味があります。

この時期、お母さんと子どものかかわり方が変化するからです。

赤ちゃんの時期は抱っこ、授乳（ミルク）、おむつ替えが頻繁に続くため、子どもと密着する時間が長く、愛着形成は自然にできる環境といえます。

しかし、1歳前後からはこうした密着の頻度が少しずつ減っていきます。一方、子どもは自分で移動できるようになり、自発的に行動を起こし始めます。そして、テレビやスマホ、電子おもちゃがあればそこに向かっていきます。

親は子どもが一人で遊んでくれれば楽だとばかりに、こうした機器に子守をさせることをしがちですが、このような環境からテレビやスマホの長時間視聴が習慣化され、新しいタイプの言葉遅れにつながると考えられます。

自閉症児の障害のタイプで、1～2歳頃までは通常の発達を示しながら、その後反応を示さなくなったり、言葉を話さなくなるものを「折れ線型」の障害などと呼びます。私はこの「折れ線型」は新しいタイプの言葉遅れであると考え「折れ線タイプの言葉遅れ」と呼んでいます。

早期に軌道修正すれば徐々に回復する

典型的な折れ線タイプの言葉遅れの事例を紹介しましょう。

2歳6か月の女児、Dちゃんの言葉の発達に異常が見られるようになったのは、小学校の先生であるお母さんが職場復帰をしてまもなく、1歳半くらいのことでした。それまで一人歩きができ、お母さんのやることをよく真似ていたDちゃんでしたが、この頃から名前を呼んでも返事をしなくなりました。

実はDちゃんはお母さんが働くようになってから祖母や親戚の家に預けられ、ほぼ毎日、7〜8時間のビデオ視聴をしている生活になっていたのです。

そこで早急にビデオの視聴をやめ、二人で遊ぶ時間を増やすようにアドバイスしました。お母さんはDちゃんのためにと休職して子育てに専念、二人で外遊びをたくさんするようになりました。すると徐々に言葉を話すようになり、小学生に上がる頃には年齢相応に発達しました。

お母さんを責めているわけではありません

Dちゃんのお母さんのように、休職して子育てに専念するのは簡単なことではありません。女性も働くことが当たり前の時代、育児にも全力を注ぐのは困難を極めます。お母さんたちの苦労は私もよく理解しています。

「親がスマホを使ったり、テレビを見せ過ぎだから言葉が遅れたと責められるのはいたたまれない」

「母親だけが子育てに振り回されるワンオペ育児で、スマホやテレビを見せることをダメだとされるのはつらすぎる」

こうした意見も受け止めています。

しかし、生後1〜2年は特に言葉やコミュニケーション能力を習得する時期であり、子どもの将来を左右する最も重要な年代です。ここでテレビやスマホ漬けの生活をさせてしまうのか否か。それはその子の発達そのものの鍵を握っているのです。

言葉が出ない、何かおかしいと早い段階で気づくことができ、その環境因子を取り除ければ、回復も十分に期待できます。親御さんたちには「あきらめないでほしい」という願いも私は持っています。

そして私のところに連絡をしてくるお母さんたちもみな、「わが子のためならできることは何でもしたい」と懸命に取り組んでおられます。

私の目標は子どもの育つ環境を整える、変えることで予防できる新しいタイプの言葉遅れの存在を知ってもらい、一人でも多くの子を健やかに育てることです。言葉やコミュニケーション上の困難は子どもが生きていく上でとてもつらいことだからです。

子どもが親の助けを全面的に必要とし、母親にべったりなのはほんの一時期のことです。成長していくにつれ、子どもは親の手から自然に離れていきます。

子育てを振り返ったとき、親子が濃密に過ごせた時間は貴重で幸せな日々だったと実感するでしょう。

だからこそ、子どもの心を育むこの時期を大切にしていただきたいと願っています。

能力の基礎は1歳半までにできる

0～2歳までの時期に母親を中心とした養育者とのかかわりがとても重要だという

ことは、脳科学の観点からも明らかです。言葉やコミュニケーション能力を含むさまざまな能力を獲得する時期だからです。ここでタイミングを逃したために獲得できなかった能力は、その後にいくら頑張っても得ることが難しいことがわかっています。

コミュニケーション能力の獲得時期は広くとらえて3歳までですが、初期の言葉の学習、すなわちコミュニケーション能力の土台はほぼ生後1歳半までにしか習得できないといわれています。それ以降では残念ながら、間に合いません。

「はじめに」でも触れたように、私自身、テレビやスマホの視聴を赤ちゃんのときに長時間続け、「子どもの黒目が動かなくなった」というケースを複数経験しています。

生後1か月になると赤ちゃんは「追視」といって、目で物を追いかけることができるようになり、2か月たつとさらに左右、上下にわたりかなり視野が広がってきます。お母さんの姿を追いかけようと、目玉を動かすようになるのもこうした発達のしるしですが、テレビやスマホを長時間、見続けてしまうと一点だけを見るようになるため、視線が偏り、視界が狭くなってしまうのです。

多くの体験をさせるほど脳は発達する

コミュニケーション能力という人間ならではの高次な機能の発達のもとは、脳に存在する神経細胞「ニューロン」とその突端から伸びる「シナプス」です。

人間の脳には一千億ともいわれるとても多くの神経細胞が存在しています。ちなみに実験動物でよく使われるアカゲザルでは約60億個、カタツムリでは約1万個ほどしか神経細胞はありません。

この神経細胞の突端にあるのがシナプスです。

脳は新しいことを学習すると、神経細胞からシナプスがどんどん枝分かれして別の神経細胞につながり、新しい回路を作ります。同時に新しい神経細胞が作られ、学習したこととして、働くようになります。

赤ちゃんがお母さんの顔や景色を目で見たり、誰かの声を耳で聞いたり、舌や手、

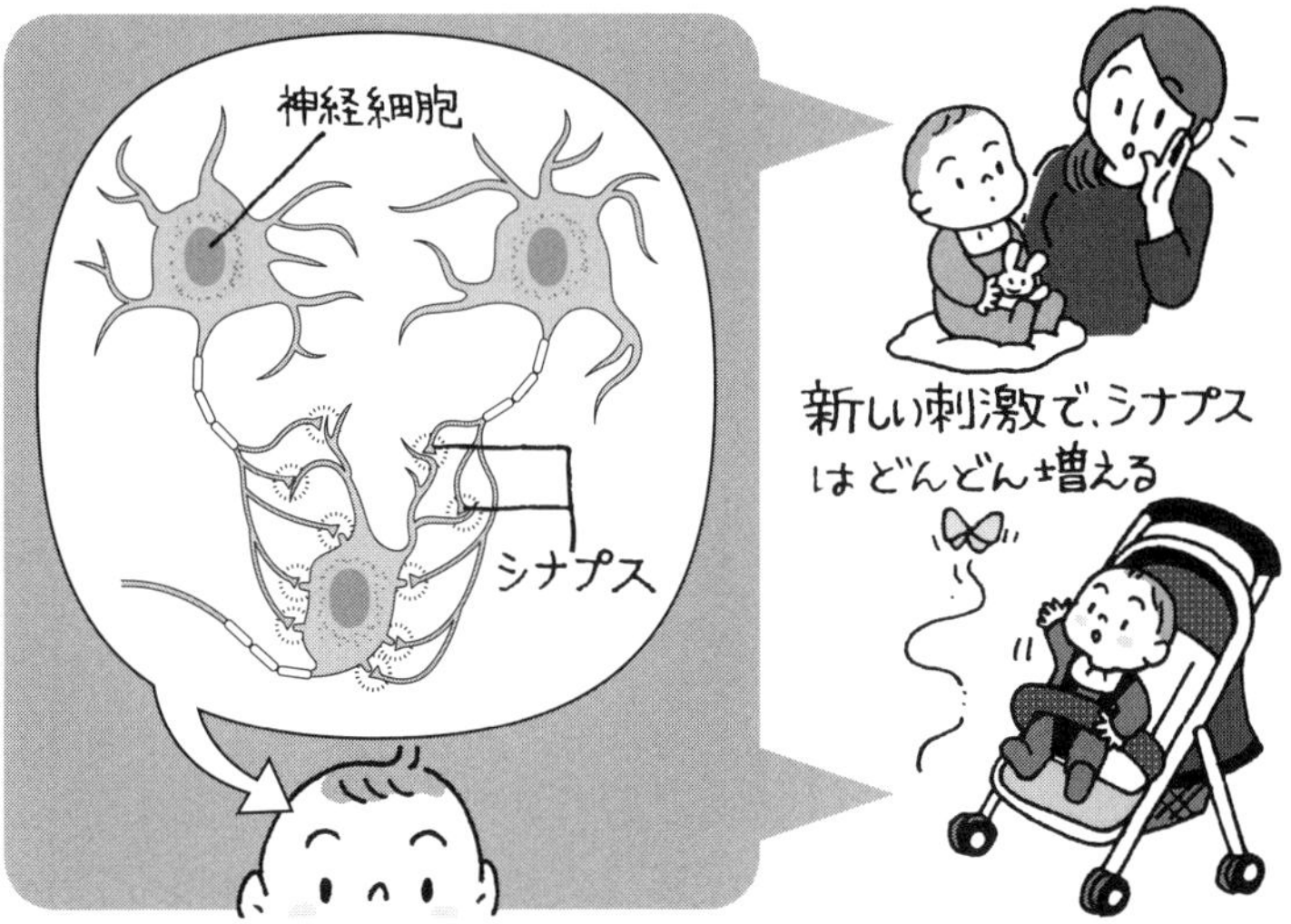

足などで新しいものに触れたりする体験は、脳に新たな情報が送られ、シナプスができて脳の回路が新たにつながるもととなります。つまりさまざまな多くの体験をすればするほど、シナプスの数が増えて回路が密になっていき、脳が発達するわけです。

この神経回路がさかんに作られていく発達の時期にタイミングよく適切な刺激を与えると、シナプス同士がつながり、しっかりした回路になります。

そのためにはテレビやスマホではなく、親御さんがたくさん話しかけ、一緒に遊びながら愛着を深めることが大事なのです。

応答環境がある中で育つと心身が安定する

言葉の土台となるコミュニケーション能力は、母と子の応答環境によって作られています。赤ちゃんは自分が何かしらの動きをするとお母さんがそれに反応してくれることに気づき、次第に自分にとって必要なことや快、不快を訴えるようになります。こうした訴えとそれに応じるお母さんの反応が日々のあらゆる場面で数限りなく重なるので、子どもはお母さんと意思の疎通を図る欲求をふくらませ、コミュニケーションの技術を高めていくのです。

お母さんとの心の響き合いの中で、やがてお母さんの言葉のオウム返しや口真似をするようになり、自然と話し言葉が身についていきます。

ところがテレビやスマホの長時間の視聴はこれを妨げます。応答環境ができていないため、コミュニケーションに重要な言葉のキャッチボールを学べません。それに人間の脳は耳に入ってきた言葉を発するようにできているので、テレビやスマホの音声を聞く時間が長くなると、お母さんの声でなく、そちらの音声を真似するようになってしまうのです。

具体的な例を紹介しましょう。

1歳9か月の男の子、Cちゃんが言葉を全く発しないとお母さんが相談に見えました。1歳6か月の乳幼児健診で、

「重い言語障害ですね。言葉は永久に出ないでしょう」

と医師に告げられ、ショックを受けて相談の電話をかけてこられたのです。

そこで早速、Cちゃんの日常生活を映した映像を送ってもらいました。しかし、全く言葉を発していないわけではありません。戦隊もののビデオを見ながら「ガー」とか「ダー」という声は発していたのです。

また、声をかけると指差しはできるなど、対人関係や状況判断はできていることがうかがえます。そこでテレビを消してしばらく様子を見てもらいました。すると2か

月後、お母さんの呼びかけに、「アッ、アッ」という発声が出るようになりました。

ご両親は希望を持ち、テレビやビデオの視聴、電子おもちゃの使用を一切やめ、できるだけ親子で楽しく過ごす時間を持つように心掛けました。すると3歳の誕生日には、お父さんとおしゃべりをしながら遊べるようになりました。

近年は、不登校の子やキレやすい子などがしばしば問題となっていますが、こうしたお子さんの背景にもコミュニケーション能力の問題があると考えられます。

赤ちゃんの頃から1～2歳まで、応答環境のある状態で母子間の愛着をしっかり形成すれば、コミュニケーション能力はもちろん、生きる意欲が豊かな、心身ともに安定した人へと成長していきます。当たり前のことですが、子ども時代の環境は子どもの将来に非常に大きく影響するのです。

「早めに言葉や知識の習得をさせたい」と考え、小さい子どもに教材などを使って言葉を教えようと頑張っている親御さんは多いと思います。

しかし、赤ちゃんが言葉や会話を覚えるのは、そうした道具からではありません。身近な養育者との親密なやりとりからなのです。愛着が育つ前に教育的な指導を優先すると、かえって言葉遅れを招く危険があります。繰り返しお伝えするように、最初にしなければならないのはお母さんの声を聞かせること。そして、細やかで自然な応答環境をつくり、コミュニケーション能力を育むことです。

話し言葉と読み書き言葉

このことを理解していただくためには、言葉には私たちが口に出す「話し言葉」と、字を書いたり読んだりするときに使う「読み書き言葉」の2種類があることを知っておく必要があります。

後者の読み書き言葉は知識の習得として子どもに教えるものですが、前者の話し言葉は教えて覚えさせるものではなく、「応答環境」によって自然に身につくものです。

自閉症の原因の研究に独自で長年にわたり取り組んできた医師の別府真琴氏は、著

書『自閉症スペクトラムの謎を解く』（花伝社）の中で、話し言葉は親子間の応答環境下で自然に出てくるもの、読み書き言葉は知識として大人から教えられるものと分類しています。

例えば歩き方を教えようとするとき、手足を引っ張って「右足を出して次は左足、手はこのように」などと指導しても、自然な歩行ではなくロボットのような歩き方になってしまうでしょう。子どもが歩くようになる時期にこんなやり方で無理に歩かせようとしても、なかなかうまく歩けるようにはなりません。見よう見真似でよろよろとしながらも自分の力で立ち、こわごわ歩き始めることで、歩行を覚えるのです。

話し言葉の習得も同じことです。歩いたり、立ったりするのと同様に、母親を中心とした養育者との心の響き合いの中で自然に身につき、使えるようになります。無理に話し言葉を教えるということは、自然な会話ができなくなるということなのです。

行為と言葉の解離がある人の実例

また言葉の習得は、「話し言葉→読み書き言葉」という順番で行われていきます。

赤ちゃんの脳は発達初期の真っ白なキャンバスと同じですから、読み書き言葉も指導によってどんどん覚えさせることは可能ではあります。しかし、意味を理解せずに覚える言葉や文字は単なる記号であって、本当の文字習得にはなりません。

例えば犬が何であるか知らない子どもに「いぬ」という文字を教えてもそれには何の意味もありません。それよりは散歩で見かけた犬を指差しながら「犬がいるね」なと話しかけ、話し言葉として伝えることが必要なのです。こうしたやりとりから子どもが犬とはどういうものかを知る、つまり、犬の概念を体験を通じて理解するのです。

言葉の指す概念を知らず、話し言葉を習得していない子にカードなどで読み書き言葉ばかりを教えていると、会話によるコミュニケーションができなくなります。正確にいえば読み書き言葉ができるので、会話は一応できますが、スムースに話すことができない。何かおかしいのです。極端な場合、文章は書けて、文字で会話ができても、言葉で会話をするのが苦手になった子もいます。

こうした状況から言葉としては知っていても、その言葉が示す日常的な感覚や行為がわからないという状態が起こることがあります。発達障害の中にはそのような状態に苦しんでいる人も多く見られます。

『発達障害当事者研究』（綾屋紗月・熊谷晋一郎共著 医学書院）には、発達障害のある女性（主婦）の体験として、次のように掲載されています。発達障害自体は先天性の脳の障害が主たる原因とされており、後天的に起こる新しいタイプの言葉遅れとは違うものですが、読者のみなさんにイメージをしていただくために、一部を抜粋して紹介します。

「『あ〜おなかがすいた〜。なんか食べたーい』とわが子にいわれた。私は『おなかがすいた』という感覚がわからない。このとき、自分の身体が私に訴える身体感覚（倒れそう、頭が重い、腹がなる、胃がへこむ、イライラする）がたくさん自己主張するが、これらは空腹時に限ったものではない。見たり聞いたり触ったりする五感を通しての外部からの情報もたくさんある。これらをしぼりこみ、まとめると『空腹感』に到達する」

読み書き言葉の学習はゆっくりと

繰り返しますが、話し言葉は赤ちゃんの時期に自然に獲得していくものです。お母さんの言葉や多くの体験から、物事の概念を自分なりに獲得して、言葉に置きかえていきます。そして、こうした体験を重ねる中で何かに感動したり共感したりする気持ちや人の心を読む力が育ちます。

立体的な感覚、移動感、遠近感、相対的な動的関係などもこの体験から学びます。二次元のテレビやスマホでは体験したことにならない理由は前章でお話しした通りです。外に出てたくさん体を動かし、自然と触れ合い、できるだけ多くの他者とかかわることが大切です。

読み書き言葉を教えるのは、こうした体験を十分に積んだ後でいいのです。子どもは何も教えなくとも、親が本を読んだり、字を書いたりするのを見て読み書き言葉に興味を示し、「何て書いてあるの？」と聞いたり、ペンを持ってきて書く真似をするようになります。こうした自然の要求に上手に応えることが、理想的な学習の形です。

単なる記憶の蓄積である形、色、パズル、記号、文字、数字でしかないものを、親が強制的に覚えさせようとすれば、子どもは親と心を通わせることをあきらめてしまうでしょう。そのことを知っておいてほしいと思います。

勉強はいつからやらせるべきか？

最近は少子化を背景に幼児期から習い事をさせる家庭が増えました。

「いつ頃からなら読み書きを教えてもいいですか？」

「勉強は何歳くらいからしっかりやらせるべきでしょう？」

といった質問をよく受けることがあります。

私の考えとしては、読み書きを教えるのは早くても5歳からです。しかもこれはどうしても早い時期に教育をしたいという希望のあるご家庭への回答であって、本当は子ども自身から「学びたい」という意欲が湧いてくるのが理想です。一つの目安として小学校高学年まで、勉強などは強要せずに、遊びを中心にのびのび育てることが最もいいと考えています。

読み書きと同様に、学校の勉強も親から強要されたところでいい結果は出ないと思います。

昨今、都会で増えている中学受験にしても、高学年を迎えて子どもから、「受験をしたい」と自らの意志で要求したなら検討するべきことだと思います。

一方で「子どもに小学校受験をさせたい、そのためにどうしても幼稚園くらいから幼児教育の塾に通わせなければならない」というご家庭もあります。そうした場合は塾や家庭での勉強は短時間で集中的に終わらせ、少なくともその5倍くらいの時間は親子で一緒に遊ぶことをすすめています（もちろん、テレビやスマホではなく、親子でできるだけ身体を使った遊びをします）。

私の経験では有名小学校に入学した子の家庭環境はこのようなタイプが多く、子どもも健やかに育っているケースが多いと感じます。

同じことがすべてのお子さんに当てはまるわけではありませんが、参考にしていただけるのではと思います。

第4章

自閉症・自閉症スペクトラムと「新しいタイプの言葉遅れ」の関係

自閉症・自閉症スペクトラムと診断されても

自閉症とは発達障害のうち、コミュニケーション能力の困難やこだわりが強いなどの特徴を持つ先天的な脳の機能障害です。その現れ方は多様であり、研究が進むにつれ軽いものから重いものまでさまざまなものがあることがわかり（詳しくは後述）、総称して現在は「自閉症スペクトラム」や「自閉スペクトラム症」と呼ぶのが一般的です。なお、「スペクトラム」は簡単に言うと「連続体」のことで、各タイプは症状に類似性や重複があり、一つの連続した状態と考えられています。

しかし、自閉症や自閉症スペクトラムと診断されているお子さんの一部に、「新しいタイプの言葉遅れ」のケースがあります。これまで紹介してきたように乳幼児健診などの発達検査で、「自閉症や自閉症スペクトラムの可能性が高い」と言われたお子さんのテレビやスマホの視聴をやめさせ、母子間のコミュニケーションを深める努力をした結果、正常な発育に戻った例が少なからずあることが、それを証明しています。

しかし、新しいタイプの言葉遅れは残念ながら、いまだ一般の医師の間では広く理解されていません。発達の診断をする際に自閉症と新しいタイプの言葉遅れとの識別がなされていないことに、私は残念な思いを抱いています。

こうした現状を理解していただくために、この章でまず、自閉症と新しいタイプの言葉遅れの関係についてきちんと紹介していこうと思います。

自閉症にみられる5つの特徴

「自閉症」という概念を最初に提唱したのはアメリカの精神科医であるレオ・カナーです。彼は「情感的なかかわりにおける自閉的障害」のある一群の子どもを記述し、彼らを「早期小児自閉症」と命名しました。１９４３年（昭和18年）のことです。

その後、１９４４年にはオーストラリアの小児科医、ハンス・アスペルガーからも自閉症発見の報告がされました。

カナーは自閉症児にみられる特徴として、次の5点をクローズアップしました。

①他者とのコミュニケーションが取れない

②言葉の発達のゆがみ

③強迫的な同一性保持の傾向

④ある物事への極端な興味・関心と巧みさ

⑤潜在的な知能

さらにカナーが自閉症の概念を提起した当時は原因について、「脳の病気や障害などの器質的な原因」と「生まれた後の環境的な要因」の双方が想定され、以後、長い間、議論が続きました。

そして現在は多くの遺伝的な要因が複雑に関与して起こる、生まれつきの脳の機能障害が原因と確定されています。

この5つの特徴について、詳しく説明していきましょう。

①他者とのコミュニケーションが取れない

・呼びかけ、あやしに対して反応が乏しい。
・周囲に生き生きとした関心を向けようとしない。
・自分だけの殻に閉じこもった状態を楽しんでいるような印象。
・抱き上げようとしても自分から抱かれようとする反応はせず、抱き上げるときはまるで丸太を抱え上げるような感覚を味わう。
・周囲からの極端な孤立。

このように同じ時間と空間に存在していながら、自閉症の子どもは全く別の世界に生きているような印象を受けます。

②言葉の発達のゆがみ

中には言葉を習得する子もいますが、使い方は極めて制限されています。お母さんはもちろん、誰かとのコミュニケーションに言葉を使うことはほとんどありません。

一方、機械的記憶力が優れており、曜日、動物の名称、電話番号、歌詞などを驚くほど速やかに記憶し、それをスラスラと無感情に口にする自閉症児もいます。これはサヴァン症候群とも呼ばれます。

また、以前ある場所で聞いた言葉をそのまま記憶していて、そのときと似た刺激を受ける体験をすると状況とは無関係にその言葉を口にすることもあります。

例えば、物を投げ捨てたときにお母さんから、

「物を投げてはいけません」

と叱られた自閉症の子どもが、物を投げ捨てるたびに、

「物を投げてはいけません」

と口にするようなケースです。

カナーは「自閉症児においては主客が転倒する」とも指摘します。これは「私」と「あなた」の使い分けが混乱しているということで、「話している自分」と「話しかけている相手」との関係が十分に理解できていないということです。

つまり、自閉症の子どもは自分の殻に閉じこもっているように見えますが、実際には「自己」も「他者」もその認識が十分ではなく、そのために自己と他者の交流であるコミュニケーションの必要性を生じないのだと推察できます。

③強迫的な同一性保持の傾向

物事が行われる順序や行う順序、物の配置などにこだわり、いつもと同じでないと気が済まない、という特徴があります。例えばいつもと違う道順で買い物に出かけるとかんしゃくを起こして泣き叫んだり、パニックになります。

④ある物事への極端な興味・関心と巧みさ

一定の物事に極めて強い興味を示し、執着する傾向があります。一定のマークや記号、鉄道の時刻表、図鑑などの記載内容、数字などを正確に記憶したり、図柄などを驚異的な速さで正確に描写します。

また、自分の身体を一定の順序でリズミカルに動かす運動にふけって、恍惚となることもあります。ひもを振ったり、積み木を一列に並べたり、特定のおもちゃをいつも手にしていないと気が済まないということもあります。

⑤潜在的な知能

典型的な自閉症児の中には知的で利発そうな顔立ちの子がいることも知られています。そうしたタイプの子では記憶力、計算能力、図形の認識、図形の組み合わせなどで並外れた能力を発揮する場合が少なくありません。

後にカナーが発見した自閉症は「自閉症」、アスペルガーが発見した自閉症は「高機能自閉症（アスペルガー症候群）」と呼ばれるようになりましたが、冒頭のように現在はその周辺にあるどちらの定義も厳密には満たさない一群を加えた幅広い概念を含め、「自閉症スペクトラム」と総称されています。

そして知的障害の目立つタイプと目立たないタイプをそれぞれ「カナータイプ」「アスペルガータイプ」と呼称しています。

自閉症スペクトラムは新しいタイプの言葉遅れに似ている

さて、先天的な障害といわれる自閉症や自閉症スペクトラムですが、後者についてはその症状が新しいタイプの言葉遅れに酷似しているといえます。

自閉症スペクトラムの研究で知られる英国の児童精神科医であるローナ・ウィングは、世界中で愛読されている著作『自閉症スペクトル』の中で、自閉症について次のように記しています。主論を要約してご紹介しましょう。

自閉性障害を持つ子どもは、一人ひとりみな違いますので、詳しく明細化された診断に役立つものはありません。ともあれ個人差はあっても、社会的相互交渉、コミュニケーション、そして想像力の欠如というこの3つ組が共通し、反復的行動をともないます。まだ、動きまわることができない乳児はこれら障害の兆候がわかりにくく、一人歩きを始めるまで表に現れません。自閉性障害を持つ乳児は3つのタイプにわけられます。一番多いのは、おとなしくて要求が少なく、乳母車の中で静かにしているタイプです。いつお腹がすいたのかわからないと母親を思わせます。

次にそれとは対照的に昼も夜も泣き叫び、あやしても止まらないタイプです。さらにこのどちらにも当てはまらず、振り返ってみても何の特徴も示さないタイプもいます。生後まもなく乳がうまく吸えない乳児もかなり見られます。抱っこしても、おんぶしてもしがみついてこなかったり、回転するもののとりこになる乳児もいます。成長発達するにつれて、興味を持ちそうなものに興味を示さないこともあります。呼んでも振り返らなかったり、笑顔がなかったり、真似しなかったり、〝いない、いない、ばあ〟をしないことも多いようです。お座りができるのに自分で起きようとしなかったり、ハイハイしなかったり、歩かなかったのに突然歩いて周囲を驚かすこともあります。普通にしゃべれて返事もできていたのに、全く言葉が出なくなって理解力が消失する崩壊性障害の症状をきたす子どももいます。

末尾にある「崩壊性障害」こそ、73ページで説明した折れ線タイプの言葉遅れに該当すると私は考えています。

自閉症スペクトラムと言葉の関係

前出の別府氏は自閉症スペクトラムと言葉の関係について、その特徴として、「話し言葉を獲得していないこと」を挙げています。

言葉の獲得と自閉症スペクトラムの関係

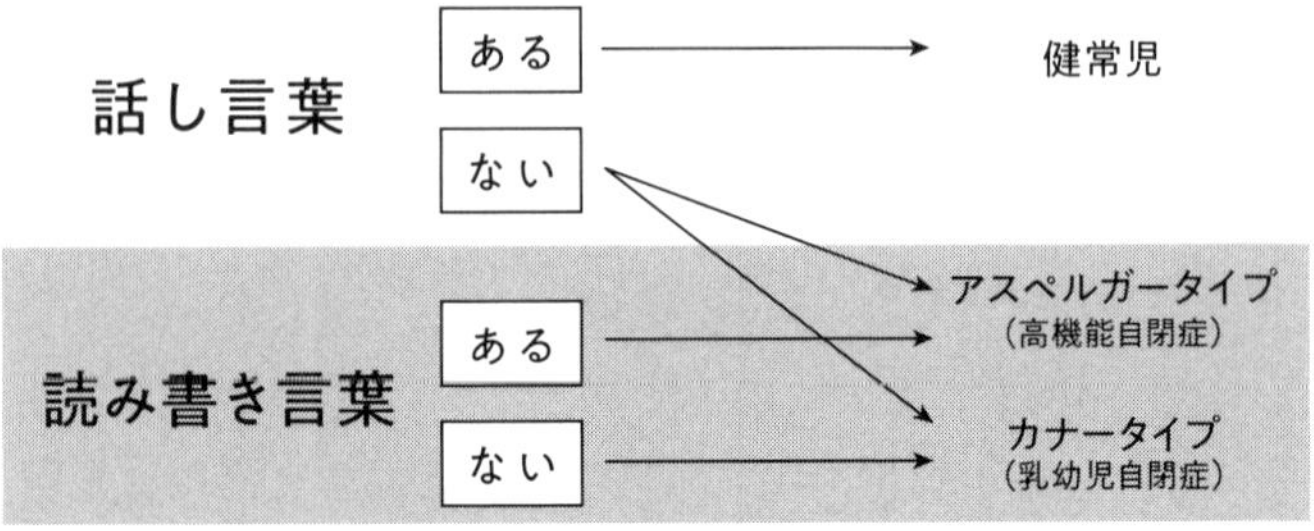

さらに、「自閉症スペクトラム」のうち、「読み書き言葉は獲得しているが、話し言葉を獲得していないもの」をアスペルガータイプ（著者注・アスペルガー症候群）、「両者とも獲得していないもの」をカナータイプと分類しています。

そして、著書の中で自閉症スペクトラムを「生まれながらの障害ではなく、後天的な話し言葉の獲得障害」と言い切っているのです。

自閉症スペクトラムは生まれながらの障害とされている現状において、それは言葉を身につけられなかったことが原因だとしているのは非常に衝撃的です。

しかしこのような考え方もあることを心にとどめておいてほしいと思います。

アスペルガータイプと診断されたA君

自閉症スペクトラムのうちのアスペルガータイプは、さらに特徴が新しいタイプの言葉遅れに似ていると言えます。

知的レベルが正常で、バスのルートや時刻表を詳細まで記憶していることがあるとか、数学やコンピュータープログラミングに驚くべき成果を発揮するなどの高い能力を示すことがあります。

反面、他者とのコミュニケーションが苦手で、婉曲な表現は理解できません。本人も思ったことを正直に言葉にする傾向があります。そのため対人関係がうまくいかなくなりがちなのですが、周囲からは「ちょっと変わった人」程度に認識され、自閉症の症状であるとなかなか気づかれません。そのため医療機関を受診するのは本人が生きづらさを感じて苦しむ、成人後のことが多いのです。

私の知っているA君もこうしたケースでした。最初に会ったのは彼が国立大学の医学生の頃でした。私の講演を聞きに来てくれ、講演終了後に、

「私はアスペルガー症候群なのです」

と名乗り出てくれました。

彼とはそれ以来のつきあいですが、当時から人間関係に困難さを抱え困っていました。学生時代のA君は記憶力が抜群で何でも知っているので周囲の人から頼りにされていました。そして医学部をトップで卒業して医師になりましたが、外来での診察が難しく、悩んでいました。患者さんとコミュニケーションがとれないのです。

私も彼の相談に何度となく乗り、対処法などについてアドバイスをしました。看護師さんや周囲の医師からも「こうしたらいい」と助言を受け、彼も5年間頑張りました。少しずついい変化もあったのですが、結局医師の仕事は続かず、患者さんとの深いかかわりを必要としないレントゲン技師になりました。

私はA君の子どもの頃を知りませんが、もしも3歳までの過ごし方が違っていたなら、もしかしたらこのような苦労をせずに済んだのではないかと思わずにはいられま

せん。彼のいい所をたくさん知っているからこそ、悔やまれるのです。

自閉症をテーマにした小説のモデルになった

前述した別府氏と同様に、自閉症や自閉症スペクトラムの原因について疑問を抱いている研究者は他にもいます。

共栄書房から発刊されている『アンナチュラル――小説・自閉症』（竹内願人著・上下巻）は、自閉症の子を持ち苦しむ親、精神科医や教育者、それを報道する新聞記者などの登場人物の視点を通じて、自閉症を取り巻く現状を描いた作品です。

そして実はこの本には明らかに私がモデルになっているとわかる人物も登場します。「テレビやビデオの害を訴え続けている大学教授・山岡直樹」という人です。

小説が送られてくるまで、そのことを全く知りませんでした。

著者の竹内さんに連絡を取り、お会いしたところ、お名前はペンネームで、普段は医学の世界で仕事をしており、たくさんの論文も書かれている研究者でした。

仕事上、自閉症スペクトラムのお子さんと触れ合う機会が多くあり、その特徴的な行動に強い興味を抱いたのが作品を執筆したきっかけだったそうです。

自閉症と診断される子の相当数が新しいタイプの言葉遅れ？

文部科学省が毎年実施している「通級による指導を受けている児童生徒数の推移」という統計があります。通級とは特別支援教育の一つで、通常の学級に在籍しながら個別に特別支援教育を受けられる制度のことです。心身に障害のある子がその対象となりますが、その最新調査（平成29年度）では、小中学校の統計総数が10万人を超えました。このなかで自閉症が統計の対象となったのは平成18年からですが、当時の統計数3912人に比べ、平成29年度は1万9567人と、約5倍も増加しています（次ページグラフ参照）。

通級による指導を受けている児童生徒数の推移より抜粋（公立小・中学校合計）

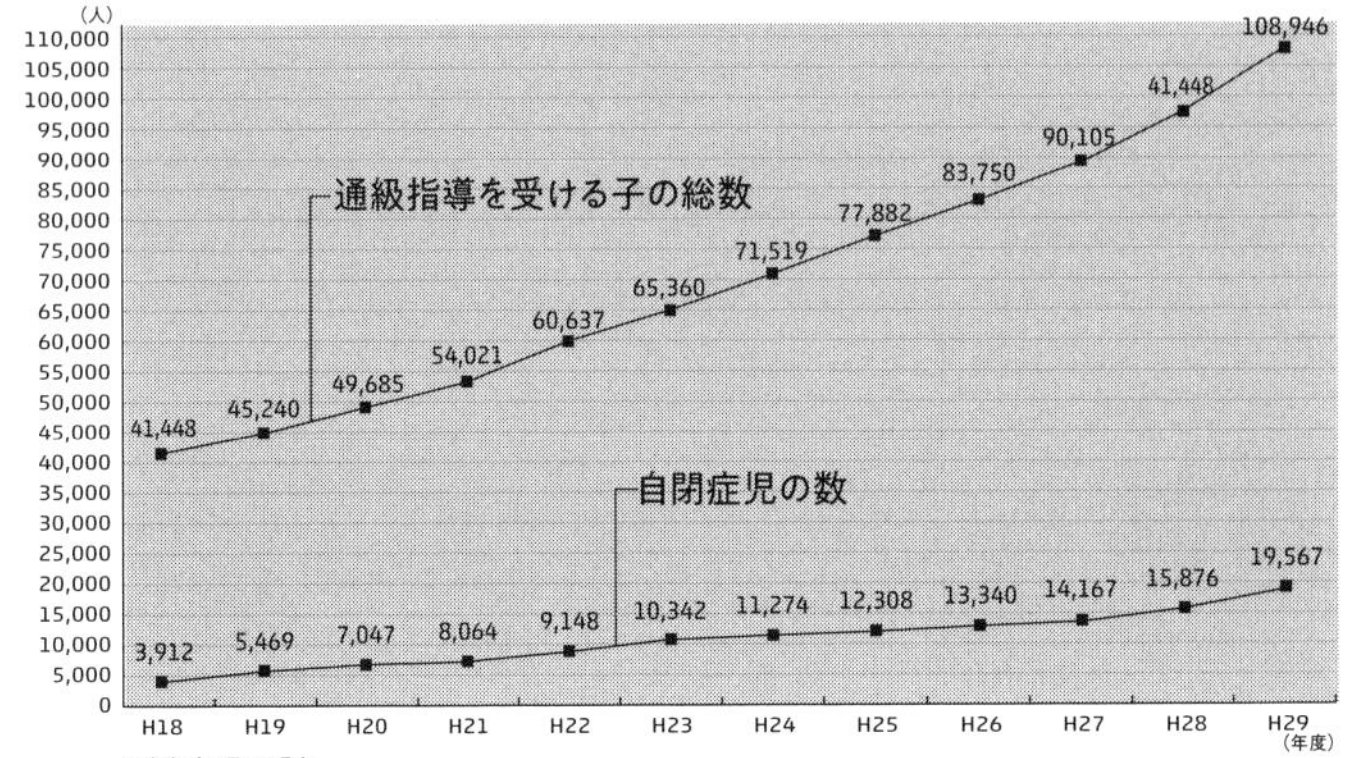

※各年度5月1日現在
※「難聴その他」は難聴、弱視、肢体不自由及び病弱・身体虚弱の合計である
※「注意欠陥多動性障害」及び「学習障害」は、平成18年度から通級指導の対象として学校教育法施行規則に規定
（併せて「自閉症」も平成18年度から対象として明示：平成17年度以前は主に「情緒障害」の通級指導の対象として対応）

自閉症の報告はテレビのない時代にもありましたが、当時は５０００人に１人といわれていました。現在は軽度の人まで含めると１００人に１人といわれていますから、約50倍に増えたといえます（出典・厚労省eヘルスネット）。

疑問なのは、先天的な脳の機能障害だといわれている自閉症が、なぜこの数十年でこれほど急増したかということです。

先天性なものであるなら遺伝子の変化などが原因でしょうが、これほどの短期間に急変するとはまず考えられません。

また発達障害の診断基準が見直され、

平成17年に発達障害者支援法が施行されたことで、発達障害が多くの人に認識されるようになったのも、該当する子どもの割合が増えた理由の一つかもしれません。しかしそれでもこの急激な伸び率はとうてい説明がつきません。

私は自閉症児と診断されている子どもたちの中に、新しいタイプの言葉遅れが相当数含まれているのではないかと推察しています。つまり、自閉症と診断されている子の中にも、テレビやスマホの視聴をやめ、お母さんと心を通わせることで治る可能性のある子が相当数いると見ているのです。

実際、これまで紹介したように自閉症や自閉症スペクトラムと診断されたお子さんが私の指導で回復し、年齢相応の発育を遂げたケースを数千例に及び経験しています。

ADHD、LDとテレビ、スマホの関係

発達障害の中には自閉症以外にもADHD（注意欠陥多動性障害）やLD（学習障害）

と呼ばれる障害があります。このうちＡＤＨＤは「不注意」と「多動・衝動性」を主な特徴とする発達障害の概念のひとつです。

ＡＤＨＤの有病率は報告によって差があるものの、学齢期の小児の3～7％程度と考えられています。これは自閉症よりもずっと多い数です。

アメリカ精神医学会の診断基準によれば、ＡＤＨＤの特徴は次の3つです。

①不注意

活動に集中できず気が散りやすい、物をなくしやすい、毎日の活動を忘れてしまう、順序だてて活動に取り組めない、など。

②多動性

じっとしていられず手足をそわそわ動かす、離席が多い、走り回ったり高いところへ登ったりする、待つことが苦手で他人のじゃまをしてしまう、など。

③衝動性

質問が終わらないうちに答えてしまう。気になるものが目に入ると危ない状況でも突然飛び出してしまう、相手のことを考えずに思いついた言葉を発してしまう、など。

ＡＤＨＤの明らかな原因は、現時点でわかっていません。最近は、遺伝的な要素にさらにさまざまな要因が関与して症状が発現する疑いがあると考えられています。

また、ＡＤＨＤの人は脳内物質であるドーパミンやノルアドレナリンの機能が低下していることが報告されており、それが引き金となっているという説もあります。

一方で、ＡＤＨＤの診断基準として「症状のいくつかが7歳以前より認められること」というものがあります。そして実際に気づくのは、幼稚園や小学校など集団生活の場に通い始めてからで、園や学校側に指摘されて判明することが多いものです。

他者とのコミュニケーションの場で表面化したという意味では、人とのかかわりが苦手なことも、ＡＤＨＤの特徴の一つと言っていいでしょう（相手のことを考えずに思いついた言葉を発してしまう、などは典型的です）。

だとすれば、コミュニケーション能力を育む3歳までの時期に置かれた環境の影響がないとは言いきれません。テレビやスマホの視聴がＡＤＨＤの症状を増長させてしまう危険性は十分にあるのです。

またＬＤ（学習障害）は全般的な知的発達に遅れはなく、本人の努力にも問題はないものの、「教科書の文章を音読できない」「黒板の文字を書き写せない」「計算ができない」など、特定の分野に困難がある状況をいいます。

その原因として何らかの脳機能の障害が想定されていますが、脳の部位や原因は特定されていません。原因の究明は専門家にゆだねるしかありませんが、私は原因が明らかではない現段階で、少なくとも子どもの養育環境をよくすることは改善に有効な手立てになりうると考えています。

「要観察」と言われたら、放置してはいけない

これらの発達障害や自閉症スペクトラムと、新しいタイプの言葉遅れはなぜ識別が困難で、しばしば混同されているのでしょうか。

大きい理由としては、がんなどのように血液検査や画像で目に見える異常ではないことがあります。うつ病など心の病気も正しく診断することは難しく、医師によって診断が異なる場合も珍しくないという話はよく聞かれます。

しかし、決定的な問題は「自閉症は生まれながらの障害」の根拠となっているのが前述のカナーの研究であるということです。カナーはある種の子どもに共通した異常な行動パターンに限定して観察しており、これを「早期乳幼児自閉症」と名付けました。しかしその後、対象となった子どもたちの育ち方の追跡、観察はしてはいません。

この研究はもう70年以上も前のものなので無理もありませんが、現在の研究手法に

のっとれば大きな落ち度があると言わざるをえません。「自閉症（自閉症スペクトラム）が生まれながらの障害」と言い切るためには、当然ながら子どもの生い立ちからその後の発達を観察しなければなりません。しかし、現代においてもいわゆる専門家集団は、この前世紀の遺産に固執しているのです。

なお、前出のローナ・ウィング氏の著書『自閉症スペクトル』の主論からの要約「自閉症障害を持つ子どもの特徴」（１００ページ）は、自閉症児の親から聞き取りをした乳児期の情報の寄せ集めであるということを記しておきます。

なぜ自閉症スペクトラムの診断には限界があるのか

このように、自閉症スペクトラムと新しいタイプの言葉遅れを見分けることは診断の現場でも非常に困難です。だからこそ1歳6か月健診で「要観察児」と言われたら、放置してはいけません。後天的に起こる新しいタイプの言葉遅れの場合、回復する可能性が高いのですから、そのことを念頭において、すぐにテレビやスマホの視聴をやめて、母子の愛着形成に取り組むことをおすすめします。

また、要観察とされたお子さんの中には発達支援センターでの療育をすすめられるケースもありますが、支援センターで教えるのは主に「読み書き言葉」です（絵カードを見せて〝リンゴ〟〝イチゴ〟と教える、など）。

新しいタイプの言葉遅れの子どもに必要なのは読み書き言葉ではなく、「話し言葉」です。療育を全面的に否定はしませんが、最も大事なのはお母さんがお子さんとたくさん遊び、コミュニケーションを育むことだというのを忘れないでください。そうした〝生きたかかわり〟からしか自然な話し言葉を学ぶことはできないのです。

第5章

言葉遅れが気になったら！家庭で今すぐにできる対策

「育て直し」をすれば劇的に改善

「新しいタイプの言葉遅れ」は育て方と環境が原因となって起こる言葉遅れです。紹介してきたケースのように、その多くはテレビやスマホなど電子メディアの視聴をやめることによって回復に向かいます。

ただし、視聴をやめる目的はそれらに奪われていた親子の時間を取り戻し、子どもの「育て直し」をすることです。

ただ視聴をやめるだけではなく、母子のコミュニケーションを深め、欠如していた応答環境を埋め合わせることが最も重要です。

では、どこまでさかのぼって育て直しをすればいいのでしょうか?

私は他者に関心を持つようになり、触れ合うことに強い興味を示し始める生後5～6か月の育児まで戻すことを指導しています。この時期は子どもが大人の食べ物に興味を示し、食べ物をつかんだり、お母さんの口に手を入れたりする頃で、離乳食のスタート時期でもあります。早いとハイハイをするお子さんもいます。

本来であればお母さんの声のするほうを追いかけ、お母さんがおもしろいことをすると笑い、「あー、うー」などと喃語が出てきて、いたずらも始まる急速な成長期です。

育て直しはその時期に子どもが経験すべきたくさんのことを親子で取り組んでいくことでもあります。簡単ではありませんが、お子さんのために懸命に頑張る親御さんの気持ちはきっと伝わります。

「育て直し」は3歳までに

コミュニケーション能力を獲得するのに最適な時期は0～2歳くらいまでの間。もう少し幅を持たせたとしても3歳が上限でしょう。

そのため、育て直しは遅くとも3歳までに行うことが重要です。新しいタイプの言葉遅れが劇的に改善を見せるのはこの年齢までになります。きちんと育て直しができれば早い子で2～3か月、遅くても1年くらいで年相応の発達に近づきます。3歳までの子が生後5～6か月の状態に戻るのは比較的、簡単だからです。

新しいタイプの言葉遅れは1歳半の乳幼児健診でしばしば発見されます。

そこではよほど明確な発達の遅れが見られる場合を除き、言葉の遅れが気になる程度であれば、

「2歳までは様子を見ましょう」

と言われることが多いです。健診をする医師の立場からいえば、

「もう少し成長しないと、自閉症スペクトラムかどうか判断できない」

と言うことなのですが、ぐずぐずと手をこまねいていると治すことが難しくなってしまいます。

このように言われたとしても、様子を見ている時間はありません。できるだけ早く目の前のテレビやスマホを消してください。

親を求めるのは2歳まで

「魔の3歳」と言われるように、子どもは2〜3歳になるとイヤイヤ期に入ります。自我が目覚め、「自分で、自分で！」と危ないことまでやろうとするのでお母さんは大変です。

けれどこれはどんどん自立が始まっているとてもいい証拠なのです。親だけに依存をするのはこの時期までで、徐々に外の世界に興味を持ち、他の子どもと遊びたがるようになります。

幼稚園に入園する子なら、その準備がこの時期から始まります。入園すれば昼間の何時間かはお母さんと離れ、友達と遊べる時期になっていきます。

この時期までに何とか言葉遅れを回復させ、集団生活になじめるようにしたいものです。そのためにも、2歳まで様子を見るのではなく、気づいたらすぐに対策を立ててほしいのです。

5～6歳でもあきらめることはない

たくさんのお子さんを診てきた経験から申し上げると、3歳以降のお子さんの育て直しは非常に難しいのが事実です。

5～6歳になるまで気づかれないまま放置された場合は、さらに大変かもしれません。回復の兆しがみられるまでにかなり長い年月を要するでしょう。

また、個人差はあるものの、全く問題がない状態に回復するのは難しい場合もあります。

そうした子は将来、コミュニケーションが苦手、社会性に乏しい、集団生活に適応しにくいなどの傾向が残るかもしれません。それでもあきらめずに気づいた時点から育て直しをすることを強くおすすめします。育て直しをすることで少しずつでもその子のコミュニケーション能力が豊かになっていけば、生きていく上での適応能力も育っていくからです。職業には、さほど人とコミュニケーションを取る必要のない種類のものもあります。一定の適応能力があれば、苦手な部分も個性として生かす人生も実現できるはずです。

「今からでも遅くないから、テレビ、スマホをやめましょう」と、あらためて強く申し上げたいと思います。

まず親がテレビ、スマホをやめること

育て直しのスタートはまず、親御さんがテレビを消し、スマホ（タブレットやパソコンの視聴などを含む）を封印することから始まります。電子おもちゃやゲーム機など光や音の刺激を受ける機器などもしまいます。おすすめできる昔ながらのおもちゃもありますが、使わないときはおもちゃ箱にしまい、子どもの目が届かないようにしま

す。たとえいい刺激を与えるおもちゃであっても、長時間集中して使用すると母子のコミュニケーションの時間が減り、逆効果になります。

私がお母さんたちにこのことを話すと、

「えっ？　テレビはともかく、スマホをやめるのは難しいのですが……」

と絶句されますが、これこそが大人がすでにスマホ依存症になっている証拠と言えるのです。

老若男女がスマホにはまっている

ネットなどの視聴率分析企業・ニールセンデジタルの調査によれば、2018年5月のスマートフォンからのインターネット利用者数は6752万人で、前年同月から10%増加。スマホによる時間の消費は月間58億時間から68億時間へと18%も増加しています。

さらに年代別スマートフォン利用状況をみると18～43歳で一日当たり3時間23分、35～49歳で3時間11分、50歳以上はなんと3時間14分で、50歳以上のスマホ利用率も急増しています。

「Pokémon GO（ポケモンGO）」など中高年が好むコンテンツが増えていることも影響しているようですが、スマホ使用時間の伸びはすさまじく、もはや老若男女が〝スマホから離れられない状態〟にあるといえるでしょう。

電車やバスに乗ったとき、人を待っているとき、手持ち無沙汰になるとついスマホを見てしまう経験は誰にでもあると思います。たいした用事もないのにスマホをのぞいてしまう行為を、もはや止められない人も多いのではないでしょうか。

さらに困ったことにスマホには子守に使える動画やアプリがたくさんあります。それを見せておけば子どもはおとなしくしてくれることも多いでしょう。

「スマホがないと電車などで子どもがぐずったときに困る」

という声はしばしばお母さんから聞かれますが、スマホがなかった時代はぐずる子をお母さんがあやしたり、電車の外を一緒に眺めてお話をしたり、絵本を読んだりしてやり過ごしたものです。

また、周囲の大人が一緒に子守をしてくれる光景もよくありました。

最近は子どもが泣いていると嫌な顔をする大人も多いようですね。これは社会の問題です。心に余裕のない大人が多いのです。こうした環境もまた、変えていく努力が必要ですが、すぐにどうなるものでもありません。

だからこそ現代の日本で子育てをするお母さんは大変です。

ただ、そうした大変な場面で子どもを必死であやし、泣きやませようとする行為が愛着の形成に大きく役立っているのです。その証拠に、大泣きしていた子どもが泣きやんで天使のような笑顔を見せるとき、泣き疲れて愛らしい寝顔になったとき、お母さんはこの上ない幸福感を感じるでしょう。

それこそが子育ての醍醐味です。

貴重なこの時期をしっかり味わうためにも、スマホからわが子に心を戻してほしいと願います。

お父さんもスマホを封印してください

「私がスマホをやめても、仕事から帰ってくる夫が目の前でスマホを使うので困っています……」

こんな相談を受けることがしばしばあります。

「イクメン」という言葉が浸透し、社会的には男性も育児に積極的に参加をしようという流れが社会的にできてきたかのようにも見えますが、実際に理解があるお父さんはまだまだ少数派のようです。

そして、新しいタイプの言葉遅れで相談にやってくるケースでは、その多くがお母さん一人の「ワンオペ育児」です。夫が忙しいなどで帰宅が遅くて育児にあまり参加してくれず、テレビやスマホにサポートしてもらうしかない、という孤独なお母さんが少なくありません。同じ男性として申し訳ないと思います。お父さんにもしっかりとテレビやスマホの危険性を理解していただき、一緒に子育てに参加してほしいと思います（できれば本書を読んでほしいと思います）。

仕事の用事でスマホを手放せないお父さんは多いかもしれません。しかし、常に傍らに置いておく必要性はそうないのではないでしょうか。せめて子どもが寝るまでは封印できないでしょうか。スマホを使わず、帰宅したらお子さんと触れ合い、身体を使った遊びをしてあげてください。お父さんと一緒に楽しく身体を動かせば、子どもは疲れてすぐに眠るでしょう。

ぜひ、今しかできないお子さんとの触れ合いを楽しんでほしいと思います。

テレビを見ない家庭のルポから

テレビやスマホがないと、子どもとどのように過ごしていいかわからない、というお母さんがいます。

「いきなり部屋がシーンとするのがイメージできません」

「テレビやスマホの代わりに、子どもに何を与えたらいいか、わからない」

という人もいます。

でもそれはテレビやスマホをやめられない言い訳にすぎません。あるいは取り越し苦労というものでしょう。

私が相談に応じてきたお母さんの多くは、

「意外にもテレビやスマホをやめたことで、困ることはなかった」

「子どももそれでパニックになるようなことはありませんでした」

とおっしゃいます。

参考までに雑誌『AERA with Baby ２００８年秋号』（朝日新聞出版）から、テレビを見せない家庭のルポを要約して紹介しましょう――。

相良さん宅では長男が１歳４か月になるまでは普通にテレビを見ていたが、保育園に通うようになると一緒に遊ぶ時間がほとんどとれないので、貴重な時間をテレビに取られるのは嫌だと思い、消すことにした。以来、長男が5歳の現在まで、テレビは消されたまま。1歳6か月の長女はこれまで自宅でテレビを見たことが1回、あるかどうかである。

「ふたりの子どもは自分で遊びを見つけ、楽しく過ごしています」

家事で忙しい時間も、勝手に遊んでいるから大丈夫。休日には家族みんなでお弁当を持って公園へ。お父さんは子どもたちとの触れ合い不足を挽回する。

テレビがないと友達との会話についていけるか気になるが、長男からテレビがなくて困ったという話は聞いたことがないという。例えば友達が○○レンジャーで盛り上がっていたら、別の子と遊んだり、自分なりにかかわり方を工夫している。

テレビを見せていないことは友達の家にも話している。だから、遊びに行って一緒に見ることはない。テレビゲームに誘われたときには、10分だけと時間を区切って遊ばせたことがあるという。でも、

「子どもって、身体を使って遊ぶことが好きですよね。ゲームがなくても元気に遊ん

でいますよ」

子どもたちは独創性が身についているのではないかと、お父さんは言う。

（「テレビを見ないで一日どう過ごしているの?」『AERA with Baby ２００８年秋号』より。著者の要約）


いかがでしょうか? これを読む限り、テレビがなくても何も困らないこと、むしろ、そのおかげで家族の触れ合いが密になり、心身ともに健康な子どもの様子が垣間見えます。テレビやスマホのない生活は想像以上にすばらしく、心を豊かに育んでくれるものなのです。

画用紙を使って「いない、いない、ばあ」を

育て直しの基本は母子のコミュニケーションを深め、赤ちゃんの「愛着が育つ環

境」を再現することです。

それにはさまざまな遊びを通じてのスキンシップが大事です。遊び方の代表例として、ここで「いないい、いないい、ばあ」を紹介したいと思います。

赤ちゃんはこの遊びをとても喜びます。

お母さんが顔を隠すことは子どもにとって、お母さんが消えることを意味します。顔を隠し、しばらくして、「ばあっ」と顔を見せると大好きなお母さんが見え声も聞こえ、赤ちゃんは安心とうれしさから喜ぶものと考えられます。

「いないい、いないい、ばあ」遊びが成立するということは、お母さんと赤ちゃんに人間同士のつながりができている証拠です。

赤ちゃんとの触れ合いでは最もポピュラーと言えるこの遊びですが、これが理解できるのは一般的には生後5〜6か月。ですからまさに育て直しの時期に適した遊びになります。

この遊びは新しいタイプの言葉遅れの子にとって、決して簡単なものではありません。呼んでも振り向かない、視線が合わないといった症状がある子の場合はなおさら

です。
　お母さんが消えてから出てくるまで待つことができるというのは、子どもにとっては大変なことなのです。ですから初回からいきなり、「できる」など思わず、焦らずにトライし、関係を築いていってください。
　なお注意として「いない、いない、ばあ」をするときには白い画用紙で顔を隠すようにしてください。通常は手で隠しますが、お子さんの状態によっては手のほうに興味がいってしまう場合もあるからです。

五感を使った遊びを

テレビのチャンネル操作もスマホも、動かすのは指一本で済みます。これだけで多くの時間を費やしていたら、身体を動かし身体能力を培う機会を損ねてしまいます。また、テレビやスマホからは音こそ聞こえますが、それはデジタル機器から出てくる音声であり、生の人間の声や動物の鳴き声、匂いなどは感じられません。五感を育てる機会も奪われてしまうのです。ですから、育て直しをする際は「五感を使った遊び」を積極的に取り入れることが必要です。

まずは前述の「いない、いない、ばあ」などの手遊びを中心に、ていねいにスキンシップを重ねましょう。一緒にお母さんと歌を歌うなどもいいですね。天気のいい日中は公園で走り回ったり、砂場で遊んだりなどできるだけ外で遊ばせることも大切です。お弁当を持って出かければ立派なピクニックになります。

花壇で咲いている花を見ながら「きれいだね、いい匂いがするね」とまずお母さんが興味を示し子どもに伝えましょう。日本は四季があり、季節ごとに咲く花が違い、そこに生きる虫や動物にも変化があります。散歩するだけでもそうした自然の移ろいを肌で感じることができます。

また休日はお父さんが一緒に外遊びをしてあげるといいですね。肩車やボールなどを使った運動量の多い遊びができるのもお父さんならではです。普段はなかなか子どもと向き合う時間の少ないお父さんなら、一緒に遊ぶことができれば、子どもはいっそう喜ぶでしょう。

禁止しすぎたら子どもは育たない

五感を使った遊びを取り入れる育児を、私はテレビやスマホなどデジタル機器を使って育てる育児と相反する意味で、「アナログ育児」と呼んでいます。

アナログ育児はときに親がひやひやすることもあります。健全に発達が進み、つかまり立ちができるようになると、高いところのものを取ろうとしますし、1歳を過ぎて歩くようになれば高いところに登ろうとします。

開けてはいけないドアをこじ開けたりするのもこの時期です。しかし、いずれも子どもが生を受け、この世に出てきて初めて見るおもしろいものにその都度、反応している証拠です。あらゆるものに興味を持っている証拠なのです。

それらをできるだけ抑制せず、上手に遊ばせてあげることが大事です。例えば椅子によじ登ることは危ないですが、そのことが理解でき、分別がつくのは3歳以降です。けがをしないように目を配り、適切にサポートしてあげながら、できるだけ自由に遊ばせることをおすすめします。2〜3歳くらいになれば親の注意も伝わるようになり、何が危ないかを理解します。その時期まではお行儀が悪いと思えることでも、子どものやりたいことを優先にやらせてあげることで五感は育っていきます。

小さい頃から一緒に料理をする

お母さんが包丁で食材をトントンと切る……。子どもはこんな様子をよく見ています。そして同じことをやってみたいと思っています。その証拠に子ども（特に女の子）はおままごとが大好きです。お母さんの真似をしてみたいのですね。お母さんの後追いができるようになると料理をしている最中に近づいてくるようになります。

料理もまた、五感を育むのに最適な方法です。育て直しの際は、ぜひ一緒に料理を作ってみてください。

包丁は正しい使い方をすれば危険なものではありません。最初は果物ナイフのような安全性の高い包丁を持たせます。最近、売られている子ども用の包丁でもいいでしょう。

仮に指をちょっと切ってしまうようなことがあっても、痛みを経験することで次からは慎重に扱うようになります。こうして道具を使うことを覚えていくのです。キュウリなど、簡単に切れるものから一緒にやってみましょう。これが本当の五感を使った遊びです。5歳を過ぎたらお母さんの代わりに簡単なおかずを作れるくらいにはなります。

料理をお手伝いすると、日々、お母さんがやるべき大事な仕事があることも子どもは理解します。料理を作ることは創造力につながり、将来の役にも立ちます。

もちろん男の子であってもそれは同じです。私は男3人の兄弟でしたが、両親は仕事で忙しかったので、小学校時代は「買い物」「料理」「皿洗い」と3人で分担して家事を手伝っていました。それが今、日常生活で大いに役立っています。

焦りは禁物、過剰にかかわりすぎてはいけない

ただし、育て直しの際に注意したいこともあります。

「育て直しとは決して教育することではない」と、心に留めてほしいということです。

例えば「いない、いない、ばあ」ができないからといって、手取り足取り「こうするのよ」と子どもに教え込むようなことをしてはいけません。愛着を育てることと、強制的に学習させることは相反しています。

また、結果が出ないからと焦ってもいけません。

それまでテレビやスマホなどの一方的な刺激に慣れてきた子どもたちが、相手がたとえ母親でもいきなりコミュニケーションを深めるのは無理があります。また、お母さんのほうもこれまでと違った意識で、子どもとの関係を作り直していくのは本当に難しいのです。

テレビやスマホに子どもの子守をさせていたお母さんはときとして「子どもの言葉が出ないのは自分のせい」とご自身を強く責めています。それだけに、「育て直しを頑張ってやっているのにちっともよくならない」と焦ってしまう傾向があります。そして、いっそう一生懸命になり、過剰にかかわろうとしてしまうこともあります。

送られてきた母子の様子などのビデオを見ると、それがよくわかります。一方的にお母さんが子どもに話しかけ続けている例もよく見られます。

しかし遊びの中では、お母さんは静かに温かくお子さんの反応を待つことのほうが大事です。

必死なお母さんの顔を見ると、子どもは「何かを強要されている」ように感じ、逃げてしまいます。

焦らず、ゆっくり、少しずつ育て直しをすることが大切なのです。

まず親が子どもの遊びを楽しむこと

「電子おもちゃがだめなら、どのようなおもちゃで遊ばせたらいいですか？」

育て直しをスタートさせるとき、よく受ける質問です。

私がすすめているのは自然な太鼓の音色が楽しめる「でんでん太鼓」。このほか、

けん玉や積み木、あやとり、おてだまなど昔ながらの遊び道具に五感を使うものが多くあります。

ただし、一方的にこうしたおもちゃを与えても、子どもは興味を示さないことが多いでしょう。なぜならテレビやスマホと違い、光や音などの強い刺激が得られないからです。ではどうすればいいのでしょうか。

おもちゃなどで子どもと遊ぶときに一番大事なのは、子どもに道具を与えて終わりにするのではなく、親が一緒に遊んであげるという姿勢です。

まずは親がそのおもちゃに興味を持

ち、使ってみる。そして「これ、おもしろいね」と夢中になる。それを見て子どもが「そんなにおもしろいのか」と真似をします。一緒に遊びながら、「楽しいね」と笑い合う場面が出てくるでしょう。これこそが他者との心の共鳴であり、人間らしい心が育まれる瞬間です。

これとは逆に、子どもが何らかの遊び道具に無言で長時間、熱中しているような場合は「このくらいでやめようね」と適度なところで終了させなければなりません。

本来なら集中するのは悪いことではありませんが、新しいタイプの言葉遅れのお子さんの場合、こうした集中の時間がさらなる発語を妨げてしまう危険があります。育て直しでは親や他者とのかかわりを深めることを最優先にしましょう。

絵本などもただ与えるのではなく、お母さんが子どもに読み聞かせます。そして子どもと一緒にそのお話に感動する瞬間が、心を育むという意味で大事なのです。子どもが一人でひたすら本に熱中している場合、頃合いをみてやんわりやめさせるようにしましょう。

抱っこができてくると「アッ、アッ」と声が出る

新しいタイプの言葉遅れがある子どもの多くは、小さい頃から抱っこがあまり好きではありません。普通はお母さんがいると正面から「わーっ」と抱きついてくるものですが、そうした行動があまり見られません。後ろからお母さんに抱きついてくる子はいますが、これだと抱っこの体勢にはなりません。

抱っこはお母さんと子どもの愛着形成の原点ともいえる行動です。哺乳動物の多くが赤ちゃんを抱っこして育てます。

抱っこしている赤ちゃんが泣くとお母さんは、「よしよし」「どうしたの？」「お腹がすいたの？」などと目を見ながら声をかけますね。

抱っこの機会が少ないと子どもはお母さんと目を合わせる機会が減ってしまいます。ですから、育て直しをするときはできるだけ、抱っこを心がけてもらいます。

お子さんによっては最初は嫌がるかもしれません。しかし、大好きなお母さんとのスキンシップがうれしくないわけがありません。母子でたくさん一日を過ごし、愛着が形成されるにしたがって、徐々に抱っこを望むようになるでしょう。

抱っこができるようになったお母さんは、よく不思議そうにこうおっしゃいます。

「抱っこしていたら子どもが私の口の中に指を突っ込んできました」

私はそれを聞くと、順調に育て直しができていると安心します。

これは不思議ではなく、普通に育ったお子さんには自然に出てくる行為です。お母さんに話しかけられているとき、お子さんがお母さんの口元を見ています。だから開いている口に興味を持ち、そこに手を入れてくるのです。

鼻に指を入れてくることもありますが、嫌がらずに、触らせてあげてください。

ものを指差して「アッ、アッ、アッ」と話す

育て直しが順調に進んでいくと、どのような変化が出てくるでしょうか。

母親が声をかけても反応がなく言葉も発しない、母親の声には反応するが言葉は全く出ないなど、お子さんの症状により回復の段階に差はありますが、典型的なケースはまず物を指差して、「アッ、アッ、アッ」と声を発するようになります。

これはお母さんが、

「○○ちゃん、これは○○だね」

と声かけをしながら、愛着を形成してきた結果です。子どもはお母さんがしばしば、いろんなものを教えてくれるときの話し方や声を真似ています。

「アッ、アッ、アッ(これは○○だよ)」

と言っているのです。手元にある食べ物などを見せて、「これなーに？」と聞くと

うれしそうに、「アッ、アッ、アッ」と声を出します。やがて、「アッ、アッ、アッ」から、「マンマ」「ママ」と具体的な言葉が出てくるようになります。

ただし、言葉が出てきたからと頑張って絵本などを見せて「教えよう、教えよう」とするのはよくありません。

あくまでも自然な会話の中で、言葉を引き出すことが大事です。

それまで、画面の中の二次元の世界しか知らなかったお子さんが、いろいろな人がいる広い現実の世界を知り、五感の刺激やさまざまな感情を感じるようになると、そのことをお母さんたちにたくさん伝えたくなるはずです。心が豊かになればなるほど、言葉や声がどんどん出てくるはずです。泣いたり怒ったりすることもありますが、それもまた、心が成長した証。そうした子どもらしい豊かな心や行動を見ると、大人もまた、学ぶことがたくさんあることに気づかされるでしょう。

親御さんもぜひそれを、楽しんでほしいと思います。

なお、最終章の第7章では、育て直しのポイントについてもあらためてまとめてありますので、参考になさってください。

第6章

これから赤ちゃんを育てるお母さんたちに知ってほしいこと

まずは赤ちゃんの成長過程を知ろう

これから赤ちゃんを育てるお母さんにもぜひ、テレビやスマホの長時間視聴の害について知っていただき、子どもの心を育てる育児をしてほしいと思っています。

そのためにまずお伝えしたいのが「赤ちゃんの成長過程」です。

人間がさまざまな能力を獲得する時期は決まっているといいましたが、赤ちゃんの場合、それが月齢単位です。成長過程とともに獲得する能力の時期を知ることで、親がやるべきこと、注意しなければいけないことが見えてきます。

【生後1～2か月頃　泣き声に応えよう】

赤ちゃんにとって言葉の始まりは「泣くこと」です。一般に生後1～2週間は定期的に泣き、その後は泣き方に変化をともなうようになっていきます。そして「お腹がすいた」「おむつが汚れて気持ちが悪い」「退屈だ」「眠たい」など、その状況によって泣き方を変えるようになります。

この時期はとにかく「泣いたら応えてあげる」ことの繰り返しが大事です。最初はなぜ泣いているのかわからないかもしれません。特に初めてのお子さんでは親もビギナーですから、パニックになってしまうこともあるでしょう。しかし、繰り返し応えているうちに、泣き方の聞き分けができるようになります。泣き方を聞き分け、赤ちゃんの望みを叶えてあげるうちに、赤ちゃんは未熟ながらも五感を駆使してお母さんへの愛着を深めていきます。

赤ちゃんが泣いても、お母さんが無視して何もしてあげなかったら、あるいは泣くこと（欲求）と全く関係なく、赤ちゃんの生命を維持するためだけに授乳やおむつ交換をしていたら、おそらく赤ちゃんは泣くのをやめてしまい、「自ら何かを訴えることの必要性」を感じなくなってしまうでしょう。単純に時間の間隔だけを計算してこれらを行うことや、それを助ける授乳アプリがおすすめできないのはこのためです。

また、この時期のスキンシップは直接五感に働きかけます。

赤ちゃんに対するお母さんの働きかけの第一歩は、授乳や抱っこなどによる肌と肌との触れ合いです。出生直後にこのスキンシップが得られると、母子の間に特別に強い絆が生まれると言われています。

『自閉症の意識構造』（現代書館）の著者である無量真見《むりょうまさみ》氏は本書の中で、赤ちゃんのコミュニケーション能力の発達について興味深い考察をしており、スキンシップの重要性を次のように説明しています（一部を抜粋）。

幼児期になると言葉による概念思考が活発になり、概念の幅が広がっていきますが、この時期（乳児）には五感によって概念が形成されると考えられます。例えば「母親の概念」は舌でおっぱいの感覚を楽しみ、匂いで母親を、目で顔を見て、耳で声を聞き、そして触れて母親の肌を感じ、というように五感をすべて使って感じ取っていると思います。母親の抱っこによるぬくもりが、その子にとって一番安心した場所になり、母親の概念を十分に感じ取ることができるのです。

自分に快を与え、命を守っているのはこの母親だという五感による概念が、抱っこして授乳することにより強化されるということです。

【生後3～4か月頃　人の声に反応する時期】

この時期は獲得した認知能力を使って考え、自分の欲望を表現し始めます。まず特徴的なことは人の顔をじっと見る機会が多くなることです。これは自分を真っ先に守ってくれる「お母さん」とそれ以外の人を見分け、確認するためでもあります。

さらに赤ちゃんはアプローチをする他者を選択し、順位付けしていきます。お父さんやきょうだい、祖父母など身近な人は安心できる存在となります。これは対人関係を築く準備段階となる大切な作業です。これは「お母さんとそれ以外の人」を識別する能力によって行うことができますので、やはり母親とのスキンシップは重要です。

また、この時期は自己主張がより活発になり、お母さんからの「快」の提供をたくさん求めるようになります。一方で、「不快」なことに対しては激しく嫌悪して取り除いてくれるよう、訴えます。夜泣きが現れるのもこの時期です。一般的な夜泣きは何らかの理由で睡眠サイクルが不安定になり、覚醒したときに真っ暗であることに不安を感じて泣く行為です。「不安を抱く」という感情が発達した証拠でもあります。

また、生後4か月くらいから人間の声とその他の音との区別をつけられるようになってきます。

初めのうちはドアの音や電話の音、外から聞こえてくる騒音などにも反応して音のあるほうに向きます。しかし、やがて人の声がしたときにはミルクをもらえたり、抱っこしてもらえたりといろいろな「快」があることに気づきます。他方で他の音がしたときには必ずしも「快」をともなわないこともある、と学習するのです。

こうした結果、声がするほうには向きますが、それほど大きくない音には反応しないようになるのです。

この時期に赤ちゃんをテレビ漬けにしてしまうと、人間の声と他の音を区別する能力が獲得できませんので、十分に注意してください。

【生後5〜6か月頃 喃語にはオウム返しを】

知的な部分が著しく発達する時期です。人や周囲のものへの好奇心、探求心が増し、積極的にものに手を出すようになります。

まだ言葉の内容は理解できませんが、声の調子の違いがわかるようになります。例えばお母さんやお父さんが赤ちゃんをあやすときは優しく、楽しそうに話しかけますが、反対に危険なものに触ろうとしたら、思わず大きな声で「ダメ！　危ない！」と叫びます。そうした声の調子と場面のつながりを学習していくのです。

6か月くらいになると大人との交流の中で「抱っこ」「いる」「いない」などの動詞を少しずつ理解していきます。名詞の理解が五感を通じてはっきり認識できるようになると、急速にこの理解が進みます。

声も多く出るようになり、喃語を大人が真似してオウム返しをしたり、繰り返してあげたりすると、さらに声を出すというふうに、行為が深められていきます。

【生後7〜8か月頃　自己の認識が高まる】

手足の能力が発達し、ハイハイができるようになるこの時期は「真の知能」が芽生えてきます。これまでは体や感覚で刺激に反応する「感覚運動的知能」だったものが、頭で考えて自ら行動できるようになっていくのです。

具体的にはお母さんとそれ以外の人をはっきりと認識できるようになり、日常的に「快」をもたらす人とそうではない人とが区別できるようになります。この結果として出てくるのが「人見知り」です。また、周りの人とのやりとりから、「満足」や

「不満」を感じるようになります。こうして「自己の確認」「自己の認識」を強めていくのです。

私は新しいタイプの言葉遅れのお子さんを面接する際、コミュニケーションができている一つの指標として、この人見知りの有無を確認します。初対面のときにお母さんの後ろにひょいと隠れてしまうのは、母親と他者を区別できているということです。

また、この時期くらいからお母さんの後追いをするようになります。そのことが大変だからとテレビやスマホを安易に与えないように注意しましょう。短時間でも一度見せてしまうと、強い刺激を求めるようになり、テレビやスマホの長時間視聴につながります。

【生後9～10か月頃　欲求を行動に移せるように】

この頃になるとつかまり立ちから伝い歩きが可能となります。絵本の中に好きなものを見つけると、指を差したり、声を出したりするようになります。さらにおもちゃを人に差し出す「やりとり」を楽しめるようになり、また自分が持っているおもちゃを取られると、泣いて怒ったりするなど五感や感情と体の動きが一致して、「欲求を行動に移す」という行為が発達し始めます。

つまり、「自分の存在」が強化される時期です。ここまでの発達が順調だと、次の段階として「発語」の準備が本格化していきます。

【1〜1歳半頃　言葉を理解する能力が育つ】

1歳ぐらいになると脳の運動野、視覚野、聴覚野、皮膚感覚野など基礎となる多くの部分の回路はほぼ完成します。また、この頃を過ぎると、だいたいの赤ちゃんは一人歩きができるようになります。子どもにとっては行動範囲が無限に広がっているように感じられ、一つ一つの行動が新鮮で、いろいろな興味を呼び起こされます。

そうした中でお母さんやお父さんと意思疎通をしながら、発語の準備に入っていきます。

まだこの段階では、子どもは言葉と〝それが指し示すもの〟との対応を完全には理解していません。例えば犬がいるのを見て、

「ほら、かわいいワンワンよ」

「大きなワンワンね」

「ワンワン、気持ちよさそうにおねんねしているね」

などと話しかけられると、子どもは繰り返し発音される「ワンワン」という語を認識していきます。そしてその繰り返される語と照らし合わせ、「目の前にいる、この動くものがワンワンなんだ」とわかってくるのです。

また「大きなお魚ね」とか、「大きなボールね」という言葉を別々の機会に聞く体験を重ねるうちに、今度は「大きい」の意味が何となくわかってきます。

さらに「場面や行動」と言葉の対応関係が作られる時期です。例えば「ちょうだい」と言って手を出すと子どもは手に持っているものを渡してくれたり、あるいは「いや」と拒否したりします。しかし、手を出さないで言葉だけで「ちょうだい」と言った場合は、意味がわからずキョトンとします。

このように子どもは場面と大人の言葉をリンクさせてとらえ、いろいろな場面で繰り返し出てくる言葉を〝単語〟として意識するようになっていくのです。

この過程で言葉の持つ象徴作用を理解します。つまり、象徴化や一般化の能力が育つのです。

この時期はまた、このような過程で身についた「ワンワン」「ブーブ」「マンマ」など、意味のある一つの単語からなるいわゆる一語文を使い始める時期でもあります。

【2〜3歳頃　対人関係の確立】

身体の動きが自由に素早く活発になり、欲求を行動に移すことがより容易になります。同時に「他人とどう妥協したら、結果的に自分の満足する状態に持っていけるか」という能力がつき始めます。

この時期にお母さんを中心とする自分以外の人とのやりとり（対人関係）が確立されていないと、その後、衝動的で抑制のきかない行動をとりがちになり、多動の傾向が現れやすくなります。

また、叱ってもなぜ叱られているのかわからなかったり、理屈がないと動けないということもあります。

お母さんに常に適切に受け入れられ、コミュニケーションの土台が十分に構築されている子は同年代の子どもとの折り合いがよく、保育園などの集団生活にも溶け込みます。

こうした集団生活の中で、コミュニケーション能力はさらに発達していきます。

赤ちゃんと心を通わせる3つの法則

赤ちゃんを健やかに育てる上で大切なことを一言で言うと、

「お母さんと赤ちゃんの心の交流を大切にする」

ということです。今から30年以上前に刊行されたアメリカの医師サーゲイ・サンガー氏の著書『乳児はなんでも知っている』（竹内均訳・祥伝社）には、誕生から言葉が出るまでの時期に「赤ちゃんと心を通わせる3つの法則がある」と書かれ、具体的に心を通わせるための向き合い方についての次のように紹介されています。

①　赤ちゃんの言動にオウム返しで応える
②　ストレスに強くなるための〝静かさ〟の使い方を学ぶ
③　子宮の中と同じように、周囲の雑音を消す

私も彼の意見に同感です。私の意見も付け加えながら、この3つについて詳しく説明していきます。

①　赤ちゃんの言動にオウム返しで応える

赤ちゃんの出す声や動き、ものを見るパターンなどを真似て同じことをするのが「オウム返しで応える」ことです。

なぜ、このことが効果的なのか、赤ちゃんになったつもりで想像してみるとわかります。目をつむって小さい頃に戻り、お母さんに抱かれている自分をイメージしてみてください。

例えばあなたが「ウーン」と伸びをするとお母さんも「ウーン」と伸びをする。あなたが「ウーウー」と声を出すとお母さんも「ウーウー」と応えてくれる——。

大好きなお母さんが笑顔でこう返してくれたなら、あなたは「この人は自分のことだけを見てくれている」と感じませんか？　そしてお母さんが「ウーウー」と言ったら、今度はあなたが「ウーウー」とその真似をして応えたくなるでしょう。

お母さんとこうした時間をたくさん共有することで、赤ちゃんのコミュニケーション能力は高まっていくのです。

赤ちゃんに応えてあげるという意味では「泣いたらあやす」「抱っこをせがまれたら抱いてあげる」ということも大事です。

人生の最初の時期（乳児期）に子どもが人格の基盤として身につけるべき発達上の

課題は「周囲の人に対しての信頼の感情を持つ」ということです。多くの場合、この感情はお母さんを信頼することを通じて芽生えていきます。だからこそ、お母さんが赤ちゃんの望んだことを満たしてあげる行為の繰り返しが大切なのです。

抱っこは、「抱き癖がつくから」とあえてやらないようにしているお母さんもおられます。しかし、抱き癖がつくなどということはありません。

十分なスキンシップと愛情はコミュニケーション能力の源です。

むしろ抱っこが足りない、つまり、抱っこを通じての愛情が必要なこの時期に十分に与えられなかった子どものほうが、自立の面などではマイナスだと考えています。

② ストレスに強くなるための〝静かさ〟の使い方を学ぶ

赤ちゃんを穏やかに見つめる時間が増えると、赤ちゃんもそれに応えてくれます。

前述したサンガー氏の著書で紹介されている興味深い実験があります。赤ちゃんの耳に働きかける刺激を通常の10%ほど多くしたところ、赤ちゃんがお母さんを見つめて過ごす時間が30%近くも減り、反対に刺激を30%近く減らしてみたら、長時間、赤ちゃんがお母さんを見つめるようになったという結果が得られたのです。

この理由としてサンガー氏は「視覚や音、動きといった刺激が少なくなると親子が心を通わせ合える空間が広がること」、「静かさによって赤ちゃんの集中力が養われること」の2つを挙げています。

そして穏やかにお母さんと見つめ合う時間が長かった子は、集中力に必要な潜在的能力を身につける確率が高いと分析しています。

とはいえ現実には刺激をすべてシャットアウトすることは難しいかもしれません。テレビやスマホの視聴をやめても、生活の中には車の騒音やドアの開閉音など、音だけでもさまざまな刺激があります。

しかし、刺激の量が増えても意識的に静かな空間を作ってあげれば赤ちゃんはそれになじみ、刺激から受けるストレスをうまく処理できる能力が身についていきます。

具体的には赤ちゃんをあやすときに、声をかけた後、静かな環境で赤ちゃんとアイコンタクトをする時間を作るといいでしょう。愛らしい赤ちゃんの表情に、きっと疲れたお母さんも癒されます。

③ 子宮の中と同じように周囲の雑音を消す

②の内容と重なりますが、特に生後28日目までの新生児の場合は周囲の雑音を減らし、子宮の中にいるときの状態に近づけてあげることが大事です。

アメリカのカリフォルニア大学ロサンゼルス校医学部教授であり小児科医でもあるハーヴェイ・カープ氏は、新生児の環境をできるだけお母さんのお腹の中（子宮）の状態に近づけてあげると、生まれながらに備わる自己鎮静反射運動の機能が最大限に引き出されるので、赤ちゃんはストレスが減少して安心して眠ることができると提唱しています。

私もそう思います。これまで大学病院でNICU（新生児集中治療室）で新生児を10年以上診てきました。また、NICUからご家庭に戻ったお子さんのフォローアップで多くのご家庭を訪問させていただきましたが、夜泣きのひどい赤ちゃんを子宮の中にいるときと同じような体位で、抱っこをして寝かせてあげると夜泣きがピタッと治まるということを何度も経験しています。

私はこうした経験から、新生児だけでなく生後1年くらいまでの赤ちゃんにとって、胎児期を過ごした子宮の中が何よりも一番快適な環境だと考えています。全く同じ状態にすることは不可能ですが、できるだけ静かな環境でゆったりとお母さんが抱っこをしてあげることが大事です。こうした行為を繰り返すことで赤ちゃんはお母さんと心を通わせることができるのです。

第7章

赤ちゃん、子どもをすくすく育てるための20か条のアドバイス

これまでの章のおさらいを兼ね、赤ちゃん、子どもを健やかに育てるためのポイントをまとめて紹介します。ここに挙げるのは、これから赤ちゃんを育てる場合、お子さんの言葉遅れに気づいた場合、いずれにも共通するアドバイスです。

これらを意識して育児をすれば新しいタイプの言葉遅れの予防、改善につながります。ぜひ、お父さんと協力して取り組んでみましょう。

1 テレビやスマホは2歳以前の子には見せない

テレビやスマホは2歳以前の子どもには見せないことを原則としましょう。特に新しいタイプの言葉遅れの兆候がある場合は、家にテレビを置かないくらい徹底する心がけでいてください。

スマホはたとえ5分でも、一度使わせてしまうとその刺激にはまってしまいます。

子どもへの使用は禁止とし、大人も子どもの前では封印します。必要なら子どもが寝た後など、見えないところで使用しましょう。

2

授乳中もテレビやスマホは厳禁

「赤ちゃんには見えない、聞こえていないから大丈夫だろう」とついつい、授乳中に大人がテレビやスマホに手を出してしまいがちですが、これもやめましょう。赤ちゃんとの愛着を形成するためには授乳の際に目を見つめたり、笑いかけたりといった心と心の触れ合いが大切です。

3

DVDなど、市販の映像ソフトは買わない

子どもが動画の長時間視聴にはまる大きなきっかけの一つは、気に入ったDVDソフトです。子どもは飽きずに繰り返し視聴したがります。これは本当におもしろがっているわけではなく、慣れ親しんだ「繰り返しの映像と音」に依存しているだけです。

こうした商品は最初から家に置かない、買わないことが賢明です。

4

子どもと一緒に遊ぶことを面倒がらない

どんなに忙しくてもわが子の将来のために時間を割く努力をしてください。忙しいからとテレビ、スマホに子守をさせてしまうと、新しいタイプの言葉遅れの兆候が現れやすくなります。いったん起こった言葉遅れを改善することは楽ではありません。

子どもに必要な遊びとは、お母さん、お父さんと一緒に楽しめるような遊びです。ごっこ遊び、ボール遊び、ものづくり、お散歩など、五感を使った昔ながらの遊びを中心に、どんな場面でも全身で子どもと向き合って遊んでください。

5

抱っこを惜しまない

赤ちゃんのときはもちろん、歩けるようになっても抱っこをせがまれたら抱いてあげましょう。子どもは忙しいときに限って「抱っこ」と求めてきます。それはお母さんに触れて包まれ、やりとりをすることで愛情を確認したいからです。

そんなときこそ面倒がらずに笑顔で抱っこをしてあげてください。

抱っこでお母さんの愛情が伝わり、それを確認できれば子どもは意外にも短時間で離れます。ぐずったり、駄々をこねたりもしません。

「今忙しいんだから、あっちへ行ってて！」と突き放すと、子どもは欲求不満を増幅させてしまいます。さらにしつこく抱っこをせがみ、たとえ抱っこをしても今度はなかなか離れなくなるでしょう。

子どもの健全な成長のためにも、ぜひ、抱っこをたくさんしてあげてください。

6 一緒に絵本を読む

絵本の読み聞かせがいいのはお母さんの生の声が子どもに響くからです。これにより子どもは安心感を得るとともに、喜びを感じます。一緒に絵本を開いて、読み聞かせをしましょう。その際、子どもの様子を見ながら、「おいしそうだね〜」などとやりとりをしてください。

7 歌を歌ってあげる

歌を歌ってあげることは、お母さんの表情や声が子どもに伝わるので、絵本を読むのと同じく非常に良質なコミュニケーションです。

子守歌やわらべ歌、レパートリーがなければ、ポップスなどお母さんの知っている歌でも構いません。お母さんが子どもに歌って聞かせてあげてください。楽しむお母さんの顔、耳に心地よく響く声は、子どもにとって楽しく癒される時間。真似をして一緒に歌うようになるでしょう。

8 添い寝をしてあげる

乳幼児にお母さんが添い寝をしてあげることはとてもよい効果があります。

まず、お母さんが一緒に横で寝ることで子どもは安心して眠りの準備に入ることができます。

さらに眠りにつくまで絵本を一緒に読んだり、子守歌を歌ってあげたり、おとぎ話を語ったり、今日一日の思い出を語り合ったりすることが子どもの心を育てます。脳の発達のためにもいい効果があると私は考えます。

かつての日本家庭では畳敷きの部屋に布団を並べ、親子が川の字になって寝るのがあたり前の光景でした。こうした昔ながらの育て方には子どもの心を育む技が自然のうちに備わっていたといえるでしょう。欧米にはこのような習慣はなく、早い時期から別室に一人で寝かせます。自立を促す効果を期待してのことといわれますが、一人で眠る習慣はもっと大きくなってからでいいと私は考えています。

9 いつでもどこでも声かけをしてあげる

「これは○○だよ」「うわー、かわいいワンワンだね」「電車だよ。乗ってみたいね」

「いいお天気だね。気持ちいいね」

お母さんはあらゆる場面で、惜しまずに子どもに声をかけてあげてください。子どもに多くの実体験をさせるとともに、その体験を言葉で表現してあげてください。何かを指示する言葉や命令・禁止の言葉ではなく、語りかけの言葉です。まだ言葉がわからない赤ちゃんでも同じように接してあげましょう。

子どもはその発達段階に応じて脳と身体のすべてで言葉を受け止めています。そして受け止めるたびに、「自分からも言葉を発したい」「お母さんに言葉を返したい」という意欲を膨らませます。

10 ごっこ遊びや見立て遊びに導く

子どもが店員になって何かを売るなどの「ごっこ遊び」や、葉っぱをお皿に、砂を食べ物に見立てるおままごとなどの「見立て遊び」は、抽象的思考力の土台を築き、ひいては想像力や創造力を高めます。

11

おもちゃは使うときだけ出す

おもちゃが常に目につくところに置いてあると子どもは落ち着きません。お母さんよりもおもちゃに興味を持ち、それで一人遊びをするようになる危険もあります。

おもちゃは通常、子どもの目の届かないところに隠し、使用するときだけ出しましょう。出したり、片付けたりをすることも子どもにとっては大切な経験です。

12

早期教育、知育おもちゃ、学習ＤＶＤは必要ない

話し言葉が身についていないのに早期教育などで書き言葉を覚えさせると、コミュニケーション能力が育たなくなってしまうことはすでに説明してきた通りです。

さらに早期教育のメソッド、知育おもちゃ、学習ＤＶＤなどは体験をともなわない学習（教育）であることが問題です。

現実の世界は単純な言葉で割り切ることができない場面や、これと定まった答えのないやりとりがたくさんあります。子どもは濃密な実体験を通じて、現実の世界にはあいまいな部分があることを知ります。そして、その中で自分を訴えること、相手の訴えを受け入れることを学ぶのがコミュニケーションの原点であり、学習力や知力の核心を培うことにつながります。

しかし早期教育などの体験をともなわない学習は、濃厚さと曖昧さが取り除かれている、答えが明確で淡泊な世界です。こうした時間を長く過ごすと極めて単純な思考

パターンとなり、現実的で複雑な物事に対処できない子どもになる危険があるのです。

13 子どもと実体験を共有する

子どもが小さいときは、できるだけさまざまな体験をさせましょう。

お金と時間をかけなくてもたくさんの体験は可能です。例えば外に出て太陽にあたり、空気や風を感じる。散歩をしながら木々や葉の美しさに気づき、花を愛でる。家族と食材を買いに行き、自らの手でそれに触って一緒に料理を作る。何げない日常の中に、豊富な新しい体験が詰め込まれています。

さまざまな体験はお母さんやお父さん、祖父母、きょうだいと共有することが大事です。

そうした体験を通じて味わう本物の感動や感激が子どもの心を豊かに育てます。

14

子どものペースに100%合わせる

子どもと一緒に出かけると何かを見つけるたびに立ち止まったり興味のあるものに目が行き、なかなか目的地にたどりつけないことがあります。一緒に料理をするときもそうで、「お手伝いをさせると時間がかかって困る」という話をよく聞きます。しかし、「子どものペースに合わせて時間をかけること」が大切なのです。

子どもは自分のペースで新しい体験をすることで五感を十分に働かせ、さまざまなことを学びます。料理だけでなく、お掃除、お洗濯（干したり、たたんだりする作業）を時間がかかっても一緒にやりましょう。最初はうまくいきませんが、それでいいのです。家事に時間がかかる分、料理は品数を減らし、足りないときはスーパーのお惣菜などを利用するのもいいと思います。

生活習慣を家族とともに行うのは、「人とのかかわり」の一つでもあります。お母さんがやっている家事を一緒にするのは、とても重要な体験なのです。

子どものペースに100%合わせるのが心豊かな賢いお子さんに育てるコツです。

15 多少のやんちゃは気にせず、のびのびと遊ばせる

子どもにとっては家の中のすべてが遊びであり、体験の場です。「子どもが散らかすから」とお母さんは「あれもダメ」「これもダメ」と、NGを出したくなりますが、できるだけ禁止をせずにのびのびと行動させてあげましょう。

例えば赤ちゃんは箱からティッシュペーパーを引っ張り出すのが大好きですが、どこの家庭でもそうさせまいと手が届かないところに置いています。しかし、これはとてもいい遊びなのです。手を上手に使って紙をうまく引っ張り出すのは難しい作業だからです。紙の感触を実感することもできるので五感も発達します。

「全部引っ張り出されたら困る」という気持ちもわかりますが、後で一緒に片付ければいい、と広い心でとらえましょう。同じように戻すのは難しいですが、丸めて箱に入れるだけで十分ではないでしょうか。これもまた五感を使う作業です。

赤ちゃんは障子に手をつっこむのも大好きです。破ったときの音、感触、穴から外が見えることが子どもにとってワクワクするのです。破った障子を一緒に貼る体験も積ませれば徐々に破かなくなっていきます。

実はこうして貼ることも遊びの一種であり、障子がつぎはぎだらけのご家庭では子どもが健やかに育っていることが多いのです。

16

失敗経験を大事にする

遊ばせている最中、子どもがけがをしないようにと親は気を遣います。しかし、大きな事故の危険性がない限り、必要以上に心配し、親が先回りして予防線を張るのはよくありません。失敗体験はむしろ、子どもの成長につながるのです。

例えば子どもを外に連れ出したとき、水たまりを見て駆け寄り、水をすくって飲もうとしたとします。たいていの親御さんは「ダメダメ」と口に入れる前にやめさせますが、私ならよほど衛生上、問題のありそうな水でない限り、黙って見ています。本

当に口に含んだとしても変な味がするから、すぐにペッと吐き出します。そしてその体験があれば二度と水たまりの水を口には入れないからです。

砂場で砂を口に入れる子もいますが、これも同じことです。口に入れたらおいしくないことがわかるので吐き出し、二度としなくなるでしょう。

つまり、失敗体験は生きていくために必要なことでもあるのです。

17

機嫌のよい親でいてください

小さい子どもはお母さんの機嫌に敏感です。お母さんの機嫌が悪いと察すると、自ら遠ざかり、心を閉ざしてしまうことが少なくありません。いわゆる「手のかからないいい子」の中には、お母さんへの過剰な気遣いが引き金になっているケースもあります。

だからこそ、お母さんにはいつも機嫌よくいてほしいのです。育児はストレスも多く、イライラすることもあるでしょう。そんなときこそ深呼吸をしてリラックスし、セルフコントロールに努めてください。子どもにとって最大の頼りはお母さんであることを忘れないでください。子どもは生まれたときから一番長い時間を過ごすお母さんとの信頼関係を築いて成長していくものなのです。

子どもが小さいときはどうしてもお父さんの出番は少なくなってしまいますが、その分、家事などのサポートをしてお母さんを支えてあげてください。それによってお母さんは心にゆとりが生まれ、機嫌よく過ごせるようになります。そして穏やかに子どもと向き合う時間を増やすことができます。

18
手間のかからない子に要注意

抱っこをせがまない、ぐずらない、おとなしくしている……。

「うちの子は手間がかからないから安心」と思っているお母さんは要注意です。子どもは泣いたり、ぐずったり、お母さんのお構いなしにさまざまな要求を訴えるのが自然です。

生まれつきおとなしい性格のお子さんも中にはいますが、むしろ、お母さんが楽をしたかったためにテレビやスマホなどを与えていた結果、子どもがその期待に沿っておとなしくなることも少なくありません。

テレビやスマホの使用以外でも、子どもが気に入っているおもちゃを与え、飽きるまで長時間一人遊びをさせているような場合も同じことが起こります。絵本を一人でずっと見ているなどの場合も同様です。

そういうお子さんはコミュニケーション能力が育つ芽が摘まれてしまい、お母さんとの一体感を持つことを早々にあきらめてしまった状態なのかもしれません。

このような兆候に気づいたら、日常のやりとりを振り返ってみてください。

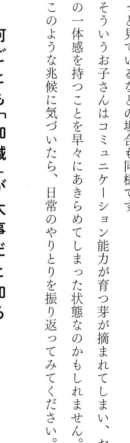

19 何ごとも「加減」が大事だと知る

本書のさまざまなアドバイスを読むうちに、真面目で熱心なお母さんならアドバイス通りに育児に取り組もうと張り切りすぎてしまうかもしれません。しかしそのことが子どもへの押しつけやプレッシャーにならないよう注意しましょう。親がかかわりすぎると主体性が育たないことがあります。もちろん、かかわらないよりもかかわったほうがずっといいことは間違いないのですが、何ごとも加減が大事です。子どもにかかわりながらも、「静かに見守る」という姿勢でいてください。

子どもは親が愛情を持って見守っていて、困ったときや力を借りたいときに、すぐに気づいて手をさしのべてくれることがわかっていれば、同じ空間にいるだけで安心し、自ら行動していけるのです。

20 小学生でもスマホゲームはなるべくさせない

小学生くらいになると「スマホゲームをやりたいと言い出したらどうしよう?」と心配しているお母さんは多いと思います。確かにその傾向は顕著で、特に男の子は友達同士で集まってゲームをやりたがります。しかし、ゲームは目も手もめまぐるしく動かしていながら、脳の中の思考を司る部分は機能していないという研究もあります。つまりゲームをしている最中は、考えたり、判断したりしていないのです。

67ページでも触れたように、ゲーム中は思考力や想像力、判断力を司る前頭連合野という部分の働きが弱くなるといわれています。こうした危険性をあらためて認識すれば、簡単にスマホゲームは与えられないはずです。

しかし、本書を読んで赤ちゃんの頃から正しい子育てをしていた家庭の子なら、

「スマホゲームを何が何でもやりたい」とは言わないのではないでしょうか。むしろ、その怖さを伝えれば理解できるだけの思考力は身についていると思います。

もしどうしても利用したい場合は使用時間を守るなど適度な使い方が望まれます。せっかく健やかに育ってきたお子さんがスマホ依存、ゲーム依存にならないよう、注意してあげてください。

おわりに ―未来の子どもたちに向けて―

この10年で、私たちの身の回りではＩＴ化、デジタル化が急速に進みました。スマホの登場やＡＩの進歩で、指1本でタッチしたり音声入力するだけで見たい動画や欲しい商品、家電の操作など、あらゆることができるようになりました。

こうした技術革新は体の不自由な人や高齢者、多忙な大人には非常に便利なものです。しかし、子どもにとっては残念ながらマイナス面ばかりです。すでにご承知のようにＩＴ化、デジタル化が進めば進むほど、体を動かし、人とかかわる機会が減っていくからです。

「時代の流れだから仕方がない」と見過ごすわけにはいきません。このままデジタル化が進めば、さらに五感を使った育児をすることが難しくなり、新しいタイプの言葉遅れはますます増えるでしょう。人とのコミュニケーションが苦手な子どもたちがあふれてしまったら、日本の将来はどうなるのでしょうか。

今こそ、昔に立ち返ってアナログ育児を取り戻すべきなのです。

アナログ育児とは本書で説明してきたように、テレビのない時代の日本の育児がお手本です。

自然の中で暗くなるまで遊び、夕方は家事のお手伝い。たくさん外遊びをしてお腹はペコペコ、好き嫌いなく何でも食べる。夜は親子で川の字になって眠る……。こうした五感を使う生活の中で日本人は体力と知能を高め、国際競争力を身につけてきたのです。

今はネットなどから得る情報に、お母さんたちはがんじがらめになっています。例えば仰向けで泣いている赤ちゃんをうつぶせの姿勢にしてあげると、たいてい泣き止みます。これはうつぶせの姿勢がお母さんに抱っこされるのと同じ体勢であり、安心感が得られるためと考えられています。しかし多くのお母さんは「うつぶせ寝は危ない」という知識があるため、それにとらわれています。

料理や洗濯などの生活体験、自然との触れ合い、さまざまな人とのかかわり、感動体験、挫折や困難の体験を子どもにさせることはコミュニケーション能力を高めるだけでなく、自主性、共感性、道徳性を育みます。ストレスに耐えられる精神力も獲得できるでしょう。こうして得られた能力が「いじめをしない正義感のある子」「集中力のある子」「規律を守れる子」「親を思いやり、先生など目上の人を尊敬できる子」「夢を持つ子」を作ります。

このことを私は大学病院勤務時代にＮＩＣＵ（新生児集中治療室）にいたお子さんの退院から成長過程を追ってきた経験、多くの言葉遅れのお子さんの相談に乗ってきた経験から、確信しています。

あなたもアナログ育児に取り組むことで、お子さんを心身ともに健やかな子に育てることができるでしょう。焦ることはありません。まずは、子どもの目を見て、時間をかけて触れ合い、ともに過ごすことを始めてみてください。

私は21世紀のうちに一人でも多くの子どもたちが健やかに育つために、これからも身体が動く限り、お母さん、お父さんたちの相談を受け、アナログ育児を広めていきたいと考えています。

最後までお読みいただき、ありがとうございました。

本書を読んでいただいた方は、ぜひ動画投稿サイト「YouTube」で、私の名前「片岡直樹」と検索して出てくる動画「テレビの子守は危ない！」をご覧になり参考にしてください。本書の内容中にもこの動画を見た方からのメールや電話相談の内容を含めています。お子さんのことで悩みや疑問があればぜひ私に直接連絡をいただきたいと思います。

２０２０年５月

川崎医科大学名誉教授・kids21 子育て研究所所長　片岡直樹

参考資料

『エミール（上・中・下）』（ジャン・ジャック・ルソー著、今野一雄訳・岩波文庫）
『乳児はなんでも知っている』（サーゲイ・サンガー著、竹内均訳・祥伝社）
『自閉症スペクトル』（ローナ・ウィング著・久保紘章、清水康夫、佐々木正美訳・東京書籍）
『テレビ・ビデオが子どもの心を破壊している！』（片岡直樹著・メタモル出版）
『ゲーム脳の恐怖』（森昭雄著・NHK出版）
「新しいタイプの言葉遅れの子どもたち—長時間のテレビ・ビデオ視聴の影響—」（片岡直樹・日本小児科学会雑誌106（10）2002より）
『しゃべらない子どもたち・笑わない子どもたち・遊べない子どもたち—テレビ・ビデオ・ゲームづけの生活をやめれば子どもは変わる』（片岡直樹、山崎雅保共著・メタモル出版）
『自閉症の意識構造』（無量真見著・現代書館）
「子どもの脳の発達へのテレビ・ビデオの影響—テレビによる後天的な言葉遅れの事例を中心に—」（片岡直樹・BRAIN MEDICAL Vol.18No.3:272–278,2006）
『発達障害当事者研究』（綾屋紗月、熊谷晋一郎共著・医学書院）
『テレビを消したら赤ちゃんがしゃべった！笑った！—音と光が言葉遅れの子をつくる』（片岡直樹著・メタモル出版）
『発達障害を予防する子どもの育て方—日本の伝統的な育児が発達障害を防ぐ』（澤口俊之、金子保、片岡直樹共著・メタモル出版）
『アンナチュラル—小説・自閉症（上・下）』（竹内願人著・共栄書房）
『なぜ自閉症になるのか』（別府真琴著・花伝社）
『自閉症スペクトラムの謎を解く』（別府真琴著・花伝社）

『食品と暮らしの安全2017.8 No.340』(片岡直樹著・NPO法人食品と暮らしの安全基金、旧日本子孫基金)

『スマホ・テレビで言葉遅れ』(片岡直樹著・NPO法人食品と暮らしの安全基金、旧日本子孫基金)

厚労省 eヘルスネット(https://www.e-healthnet.mhlw.go.jp/)

あいち小児保健医療総合センターホームページ(https://www.achmc.pref.aichi.jp/)

スマートフォン最新情報／ニールセンデジタル株式会社(https://www.netratings.co.jp/news_release/smart_phone/)

小児《しょうに》科《か》医《い》が伝《つた》えたい言葉《ことば》の遅《おく》れが改善《かいぜん》する方法《ほうほう》

2020年6月29日　初版第1刷

著　者――――――片岡直樹《かたおかなおき》
発行者――――――坂本桂一
発行所――――――現代書林
〒162-0053　東京都新宿区原町3-61　桂ビル
TEL／代表　03(3205)8384
振替00140-7-42905
http://www.gendaishorin.co.jp/

カバーデザイン―――山之口正和（OKIKATA）
カバーイラスト―――アツダマツシ
本文イラスト――――宮下やすこ
編集協力―――――株式会社トリア

印刷・製本　㈱シナノパブリッシングプレス
乱丁・落丁本はお取り替えいたします。

定価はカバーに
表示してあります。

ISBN978-4-7745-1854-1 C0037